사랑의 역설

철학변태의 삶, 사랑, 예술에 관한 자율적 에세이

사랑의 역설

초판 1쇄 발행 2015년 12월 21일

지은이 김태환
펴낸이 김운태
펴낸곳 도서출판 미래지향

편집인 박석
경영총괄 박정윤
디자인 스탠리
마케팅 김순태, 윤진
인쇄 미래피엔피
포토그래퍼 기네의
모델 이수급, 웬딘디

출판등록 2011년 11월 18일
출판사신고번호 제2013-000129호
주소 서울시 마포구 마포대로 53 마포트라팰리스 B동 1603호
이메일 kimwt@miraejihyang.com | 홈페이지 www.miraejihyang.com
전화 02-780-4842 | 팩스 02-707-2475

책값은 뒤표지에 있습니다. | 잘못된 책은 바꿔드립니다.
ISBN : 979-11-85851-02-0 (03810)

·이 도서의 국립중앙도서관 출판예정도서목록(CIP)은 서지정보유통지원시스템 홈페이지(http://seoji.nl.go.kr)와 국가자료공동목록시스템(http://www.nl.go.kr/kolisnet)에서 이용하실 수 있습니다. (CIP제어번호 : CIP2015033033)

사랑의

철학변태의 삶, 사랑, 예술에 관한 자율적 에세이

역설

사랑은 어렵다 그렇지만 사랑은 아름답다
너에게 제시할 수 있는 사랑한다는 최후의 진실이 남아있다면

김 태 환 지음

<프롤로그>

우리 사랑의 뿌리

'사랑해'라는 말 속에 얼마나 자잘한 뿌리들이 있을까요. 맞아요.
무수하겠지요. 사랑은 둘이서 나무 한 그루를 심는 일 같아요. 둘만
의 교류, 언어, 섹스, 사건 등은 양분이 되어 나무를 자라게 하지요.

남들이 보기에 우리의 사랑은 '나무 한 그루'에요. 그런데 사실 우
리 사랑의 내막은 그 밑동인 '뿌리'에 있지요. 그 뿌리가 어떤 형상을
하고 있는지는 사실, 연인인 우리도 잘 몰라요. 자잘한 순간들을 어
떻게 다 기억하겠어요. 그래서 기억할 수 없는 형상들을 사랑이라는
단어로 포섭하는 것이겠지요.

그런데 나무라는 존재는 너도 아니고, 너도 아니에요. '우리가 키
운 '또 다른 존재'지요. 그래서 이 나무의 주인은 우리이기도 하고, 너
와 내가 아니기도 해요. 어느 한 쪽이 양분을 주지 않으면 물주지 않
은 나무처럼 죽으니까요.

사랑이 끝나면 나무가 마르기 시작합니다. 한쪽의 양분이 있다면

당분간은 생명을 유지하겠지만, 이내 문드러질 것입니다. 나무가 썩으면 거름이 됩니다. 거름은 또 다른 생명을 잉태시키기 위한 양분이 되지요. 이 거름은 당신의 과거이자, 나의 과거와 같아요. 우리 사랑의 뿌리도 이 거름을 빨아먹어요. 그렇지요. 우리의 사랑은 각자 가졌던 과거의 사랑 위에 포개어져 있는 꼴이지요.

Chapter I 사랑은 결핍을 만든다

Chapter II 권태의 합리화

사랑은
결핍을 만든다

사랑의 실체는 잡을 수 없다.
결국 우리는 사랑에 대해 신앙과 같은 태도를
가지게 된다. 사랑을 믿는 것이다. 사랑의 믿음은
사실을 확인하고, 사실을 믿는 차원을 넘어선다.
믿을 수 없는 것까지 믿는 것.
그것이 진정한 믿음으로 규정된다.

넌 날
왜 사랑해?

근사해란 피로, 즉 언어의 피로의 조그만 흔적이다. 이 말에서 저 말로 같은 이미지를 달리 말하는데, 내 욕망의 속성을 그릇되게 표현하는 데 그만 지쳐버린 나. 그리하여 이 여행의 종착역에 이르러서의 내 마지막 철학은 동어 반복(tautologie)을 인정하고 실천할 수밖에 없게 된다. 근사한 것은 근사하다, 또는 당신이 근사하기 때문에 근사하다고 생각한다. 당신을 사랑하기 때문에 사랑한다 등등. 이렇게 사랑의 언어의 막을 내리는 것은 바로 그것을 설정한 매혹이다. 왜냐하면 매혹을 묘사한다는 것은, 결국 "난 매혹되었어"란 말을 초과할 수는 없기 때문이다. 금이 간 레코드마냥 그 결정적인 말밖에 되풀이할 수 없는 언어의 맨 마지막에 이르면, 난 그것의 긍정으로 도취한다.

　　　　　　　　　　　　　－ 롤랑 바르트, 『사랑의 단상』, 동문선, 41~42쪽

"넌 날 왜 사랑해?"라는 질문은 당혹스럽기 짝이 없다. 대부분의 사람들은 불온하며, 이런 사람이 만나 관계하는 것이 연애다. 모든 사람들은 장점을 가지고 있지만, 그에 못지않은 단점도 지녔다. 그러한 단점에도 불구하고 우리는 상대에게 매혹된다. 그 이유는 무엇인가. 이유를 굳이 만들어야 한다면, "당신은 불가사의한 매력을 지녔기 때문이야"라고 하겠다. 사랑하는 것은 사랑하는 것, 매혹된 것은 매혹된 것이다. 사랑이 조건을 따질 수 있는 것이라면 이미 그것은 식어버린 사랑의 화석이거나, 조건에 의한 계약적인 만남을 벗어나지 못한다.

금이 간 레코드마냥 그 결정적인 말밖에 되풀이할 수 없는
언어의 맨 마지막에 이르면, 난 그것의 긍정으로 도취한다.

사랑을 이야기하는 곳에는
항상 그녀가 있다

사랑의 아토피아, 즉 사랑을 모든 논술적인 것으로부터 벗어나게 하는 속성은 아마도 그것이 최종적으로는 담화의 엄격한 한정에 의해서만 말할 수 있다는 점일 것이다. 그것이 철학, 격언, 서정시 또는 소설이든 간에, 사랑에 대한 담론에는 항상 그 말의 대상인 누군가가 있게 마련이다. 비록 이 사람이 유령이나 미래의 창조물 형태로 바뀐다 할지라도. 누군가를 위해서가 아니라면 아무도 사랑에 대해 말하고 싶지 않으리라.

— 롤랑 바르트, 『사랑의 단상』, 동문선, 111~112쪽

사랑의 경험은 강한 트라우마를 남긴다. 문학이나 영화에 그려진 사랑의 이야기들도 실제적인 경험 없이 만들어지기는 어렵다. 사랑이 심각한 트라우마를 남길수록 이야기는 더욱 구체적이고 현실적이 된다. 사랑을 경험해보지 못한 이가 기대 이상의 작품을 만들었다면, 그것은 미래의 연인에 대한 헌사가 될 가능성이 높다. 아직 다가오지 않은 대상에 대한 숭고한 짝사랑인 것이다. 사랑의 담론은 반드시 담론의 대상을 동반한다.

　　관계의 깊은 체험이 없는 작가가 사랑을 정의하거나 구체적인 상황을 만들어내고 있다면 그것은 허황된 것이다. 치기 어림과 자격지심의 결과물 이상이 나오기 어렵다. 이런 작품에도 미덕이 있다면, 동질감을 느끼는 이들과 함께 문학적 자위행위를 해준다는 것이다.

　　사랑은 타인에 대한 구체적이고 강렬한 체험을 동반한다. 사랑은 구체적인 것이다. 곧, 타자와의 관계 역시 매우 구체적인 것이다.

누군가를 위해서가 아니라면 아무도 사랑에 대해 말하고
싶지 않으리라.

따라서 사랑을 경험하는 동안에는 내가 예상치 못한 우발적인 사
건과 마주칠 수밖에 없다.

우유부단하고
용기 없는 당신

내 처신의 고뇌는 하찮은 것이다. 그것은 더욱더 하찮아 끝이 없다. 만약 그 사람이 무심코 이런저런 시간에 그와 연락을 취할 수 있는 곳의 전화번호를 주었다면 나는 거의 미칠 지경이 된다. 전화를 해야 할까? 하지 말아야 할까? … (중략) …

모든 것은 의미한다라는 명제가 나를 사로잡아 계산하는 일에만 몰두할 뿐 즐기지 못하게 한다.

때때로 이런 '아무것도 아닌 것(rien)'(세상 사람들은 그렇게 말할 것이다) 때문에 심사숙고하다 보면 기진맥진해진다.

– 롤랑 바르트, 『사랑의 단상』, 동문선, 97~98쪽

사랑의 시작 단계에서 오는 상대의 다양한 기호, 신호들은 나를 괴롭힌다. 상대가 미소를 띠며 내 전화번호를 물어봤다. 이것은 상대가 나에게 호감이 있어서 하는 행동일까. 아니면 단순한 행동일까.

그가 보여준 행동은 도대체 어떤 의미일까. 모든 행위가 나를 향한 의미를 가지고 있는 것 같다. 쓸데없는 것에 의미를 부여하고 두근거리고 설레는 것은 소모적인 행위일 수 있지만, 아름다운 순간이기도 하다. 상대의 행동 하나하나에 의미를 부여하고 초조해하고 있는 이에게 친구가 말한다. "그때가 좋은 때지. 그게 연애하는 거야. 이미 시작됐네."

그러나 초조한 이는 웃으면서도 끝까지 초조할 수밖에 없다. 아직 상대가 보여준 행위의 의미를 정확히 파악하지 못했기 때문이다. 참으로 우유부단하다. 그에게 해주고 싶은 말은 밀어붙이라는 것밖에 없다. 전전긍긍하고 있으면 아무런 변화도 찾아오지 않는다.

전화를 해야 할까? 하지 말아야 할까?

    이 정도의 상황은 당연히 스스로 개척해야 하는 법. 데이트 신청을 하든지, 자신감 있게 대놓고 물어보든지, 고백을 하든지. 확률은 이 분의 일.

귀여운
질투

다정함 TENDRESSE. 사랑하는 사람은 사랑하는 이의 다정한 몸짓에 기뻐
하면서도, 자신에게만 그런 특권이 주어진 것이 아니라는 걸 알고 불안해한다.

– 롤랑 바르트, 『사랑의 단상』, 동문선, 319쪽

사랑에 빠진 사람은 아름답다. 상대의 미소, 말투, 습관 하나하나가 사랑스러워진다. 상대의 모든 것들이 사랑스러워졌을 때, 어떤 위험에 직면한다. 그는 내게 주었던 미소, 말투, 습관들을 나 뿐만 아닌 다른 사람들에게도 보여주고 있는 것이다. 나는 그에게 특별한 존재가 아닐 수도 있다는 염려에 빠진다. 이것은 귀여운 질투다. 이러한 질투 역시 사랑스러운 것이다. 어느 누구도 내게 이런 질투를 하는 사람은 없다. 결국 너는 내게 어떠한 것으로도 대체할 수 없는 고유한 존재가 되는 것이다.

사랑하는 사람은 사랑하는 이의 다정한 몸짓에 기뻐하면
서도, 자신에게만 그런 특권이 주어진 것이 아니라는 걸
알고 불안해한다.

사랑은
결핍을 만든다

충족은 상속(相續)의 폐지를 의미한다. "기쁨은 상속자도 어린이도 필요로 하지 않는다. 기쁨은 그 자체만을 원하며, 영원을, 같은 것의 반복을 원한다. 그것은 모든 것이 영원히 그대로이기를 바란다." 충족된 연인은 글을 쓸 필요도, 전달하거나 재생할 필요도 없다.

— 롤랑 바르트, 『사랑의 단상』, 동문선, 89쪽

그녀는 종종 결핍된 존재가 되고 싶어 한다. 대체로 혼자 있을 때 결핍된 존재가 된다. 연애 초기라면 결핍은 더 강렬하다. 결핍된 것을 충족시키는 방법은 둘이 함께 있는 것이다. 고로 둘이 함께하는 시간이 많아야 한다. 연애의 열정에 빠진 연인들은 자신의 친구들에게 할애할 시간을 잃으면서, 때때로 친구를 잃기도 한다.

　홀로 있어도 온전한 정신을 유지할 필요가 있다. 서로가 상생하는 방법이다. 한쪽이 지나친 결핍을 느낀다면, 한쪽의 헌신이 더 커져야 한다. 결핍된 이는 스스로를 결핍된 존재라고 여기는 것을 넘어서서, 상대의 헌신을 당연한 것이자 의무로 생각한다. 그리고 상대의 결핍을 채우지 못하는 이는 '헌신하지 못한' 죄책감을 느낀다. 연애가 서로를 소모하는 행위가 되어서는 지속하기 어렵다.

충족된 연인은 글을 쓸 필요도, 전달하거나 재생할 필요
도 없다.

절제가
욕망을 해소한다

당신의 욕망이 어디 있는지를 보여주기 위해서는 그것을 조금 금지하기만 하면 된다(금지 없이는 욕망이 존재하지 않는다는 게 사실이라면). X…는 내가 그를 조금 자유롭게 내버려두면서 그의 곁에 있기를, 때때로 자리를 비우면서도 '멀리는 가지 않는' 그런 유연성을 갖기를 바랐다.

… (중략) …

어머니가 평온하게 뜨개질을 하는 동안 아이가 주위에서 노는 그런 좋은(너그러우면서도 보호할 줄 아는) 어머니가 되어야 한다. 바로 이것이 '성공적인' 커플의 구조일 것이다. 약간의 금지와 많은 유희, 욕망을 가르쳐 주고 다음에는 내버려두는. 마치 길은 가르쳐 주지만, 같이 따라나서겠다고 고집부리지 않는 저 친절한 원주민들처럼.

— 롤랑 바르트, 『사랑의 단상』, 동문선, 199~200쪽

우리가 자유롭게 할 수 있던 것들을 금지한다면 곧 그것들을 욕망하게 될 것이다. 이처럼 욕망은 '억압을 해소하기 위한' 방법으로 작용한다. 연인에게서도 이와 유사한 욕망의 구조를 발견할 수 있다. 밤새 함께 하고 싶어도 막차를 놓쳐서는 안 되거나, 어느 한 쪽에서 '아직은' 성관계를 거부하거나. 누군가는 이 억압을 붕괴시키고 싶어 한다.

금지된 것은 욕망을 만든다. 그러나 욕망이 곧 실현은 아니다. 그런 점에서 연인들은 서로 무엇인가를 절제하게 된다. 한쪽이 억압된 욕망을 이기지 못하고, '이 욕망을 표출하지 않는 것은 곧 나를 사랑하지 않는다는 것 아니야?'라는 질문을 제기한다면 다른 한쪽은 궁지에 몰리게 된다. 흥분한 연인이 욕망의 해소를 사랑의 등가물로 생각하고 짐승처럼 도박을 걸었기 때문이다. 욕망을 해소하는 것과 사랑은 같은 것이 아니다.

욕망의 해소는 기다림을 통해 이루어져야 한다. 기다림이 곧 절제다. 한쪽이 절제를 요구할 때, 서로 대화하며 그 절제를 따를 필요가

당신의 욕망이 어디 있는지를 보여주기 위해서는 그것을
조금 금지하기만 하면 된다.

있다. 연인에게는 서로 기다릴 줄 아는 여유로움이 필요한 것이다. 욕
망의 절제도 연애가 주는 즐거움 중 하나다. 내가 진실로 무엇을 원
하는지, 너는 무엇을 원하는지에 대해 허물없이 소통할 수 있는 즐거
운 기회다.

고로, 욕망 해소를 사랑으로 치환한 당신은 여유를 가질 필요가
있다. 눈앞의 욕망에 이끌려 정작 당신의 연인과 더 가까워질 수 있는
기회는 놓치고 있다. 허물없는 소통이야말로 욕망 해소의 실마리인데
말이다. 결국 당신의 욕망을 해소시키는 것은 절제이자 기다림이다.
절제함으로써 욕망의 해소도 찾아오는 것이다.

사랑은
정신병이다

나는 사랑한다는 것에 미쳐 있다. 아니 그렇게 말할 수 있으므로 미친 것이 아니다. 나는 내 이미지를 이분화한다. 스스로의 눈에는 미쳐 있고(나는 내 정신 착란을 잘 안다), 그 앞에서 담담하게 내 광기를 이야기하는 타자의 눈에는 다만 지각없는 사람일 뿐이다. 이런 광기를 의식하며, 광기에 대한 담론을 하는 것.

1백 년 전부터 광기(문학적인)는 랭보의 "나는 타자이다(Je est un autre)"라는 말에 근거한다고 생각되어져 왔다. 광기는 탈개성(depersonnalisation)의 체험이다. 그러나 사랑의 주체인 나에게는 정반대이다. 주체가 되는 것, 주체가 되는 것을 막을 수 없는 것, 바로 그 사실이 나를 미치게 한다. "나는 타자가 아니다." 바로 그것이 내가 공포 속에 인지하는 것이다.

— 롤랑 바르트, 『사랑의 단상』, 동문선, 174~175쪽

사랑은 일종의 정신병이다. 사랑의 극단성은 자신과 주변의 것들을 돌보지 않는 상태로까지 끌고 가기도 한다. 사랑이 자신을 파괴하는 지경에까지 이른다면 과감히 포기할 필요가 있다. 이러한 위기에 빠지지 않기 위해 필요한 것이 '사랑의 광기에 관한 담론'을 나누는 것이다. 제 3자들과 사랑에 관한 대화를 나누는 것은 자기객관화를 약간이나마 가능하게 만들기 때문이다. 자신이 온 지점과 상태들을 살필 수 있다. 사랑은 자신을 보살피는 행위와 동반되어야 한다.

왜냐하면 사랑은 '완전한 타자'와의 이상적인 조우를 꿈꾸는 일이기 때문이다. 사랑은 익숙해지지만, 궁극적으로 타자를 완전히 이해하는 것은 불가능하다. 거칠게 말하면 사랑은 어떠한 확증도 주지 못한다. 수많은 단서들만 눈앞에 있을 뿐이다. 모든 감정은 내 안에서 발생한다. 기쁨, 설렘, 고통, 아쉬움. 모든 것이 내 안에서 일어난다. 이것은 일종의 공포다. 내가 타인으로서의 당신을 알 수 없는 만큼, 내가 사랑하는 이도 나의 궁극적인 마음까지는 이해할 수 없기 때문이다.

"나는 타자가 아니다." 바로 그것이 내가 공포 속에 인지
하는 것이다.

    결국 '나는 타자가 아니다'라는 말은 '당신을 이해하는 것은 당신을
'추리'하는 것'임을 깨닫게 한다.

사랑의
진실

소유의 의지는 멈춰져야만 한다. 하지만 비소유의 의지가 보여져서도 안 된다. 말하자면 봉헌의 행위는 용납되지 않는다. 나는 정념의 그 뜨거운 격양을 '메마른 삶이나, 죽음에의 의지, 그 커다란 무력감'으로 바꾸고 싶지는 않다. …(중략)… 그런데 내 진실은 절대적으로 사랑한다는 것이며, 그러므로 사랑이 결핍될 때, 나는 '포위하기'를 단념하는 군대처럼 물러가거나 자신을 분산시킨다.

— 롤랑 바르트, 『사랑의 단상』, 동문선, 332쪽

깊은 사랑에 빠진 사람은 연인을 소유하려 한다. 이렇게 사랑스러운 사람을 어떻게 밖에 내놓을 수 있겠나. 상대는 나만의 것이어야 한다. 그이는 점점 숨이 막힌다. 그러나 너와 나는 다르다. 나는 물속에서 숨 쉬는 게 편하지만, 상대는 물 밖에서 숨 쉬는 것이 훨씬 편하다.

그러나 가끔씩은 상대를 가두기 위해 노력해야 한다. 소유와 무관심, 양 극단의 어느 것도 연인 관계에 도움을 주지 못하기 때문이다. 결국 두 사람으로 이루어진 사랑의 관계에서 둘 다 만족할 수 있는 지점을 찾을 수는 없다. 이처럼 사랑은 어렵다. 그렇지만 사랑은 아름답다. 너에게 제시할 수 있는 사랑한다는 최후의 진실이 남아있다면, 그 자체는 황량하지만 동시에 숭고한 것이다.

소유의 의지는 멈춰져야만 한다. 하지만 비소유의 의지가
보여져서도 안 된다.

사랑한다는
말의 존재의미

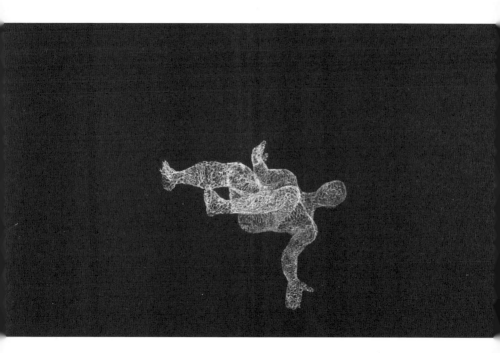

다시 말해 나는 더 이상 해석을 믿지 않으려 한다. 나의 그 사람으로부터 오는 말은 모두 진실의 기호로 받아들여, 내가 말할 때 그가 그것을 진실로 받아들일지 어떤지는 의문시하지 않으려 한다. 바로 여기서 선언의 중요성이 비롯된다. 나는 그 사람에게서 그의 감정의 공식적인 표현을 끝없이 탈취하려 하며, 또 내 편에서도 그를 사랑한다는 말을 계속 지껄인다. 그 어떤 것도 암시나 점술 따위에는 맡겨지지 않는다. 무언가가 알려지려면 말해야만 하고, 또 그것은 일단 말해진 이상 일시적이나마 진실이 되는 것이다.

— 롤랑 바르트, 『사랑의 단상』, 동문선, 307쪽

사랑의 실체는 다양한 형태로 나타난다. 믿음, 배려, 질투, 스킨십, 대화 등. 이렇듯 다양한 형태로 나타나기에 사랑의 '실체'는 규명할 수 없는 것이 된다. 우리가 서로에게 '사랑한다'고 말하지만, 정작 그 실체는 알지 못하는 것이다. 그래서 사랑한다는 말은 관계를 확인하는 도장 같은 것이 된다. 상황에 따라 확인 도장은 가벼워지기도 무거워지기도 한다. 그중에서도 자신의 존재 전부를 '사랑한다'는 말로 온전히 수렴시킬 때, 사랑은 숭고한 것이 되기도 하지만.

역시나 사랑의 실체는 잡을 수 없다. 결국 우리는 사랑에 대해 신앙과 같은 태도를 가지게 된다. 사랑을 믿는 것이다. 사랑의 믿음은 사실을 확인하고, 사실을 믿는 차원을 넘어선다. 믿을 수 없는 것까지 믿는 것. 그것이 진정한 믿음으로 규정된다. '타자'라는 완벽한 단절감이 상대의 '사랑해'라는 믿을 수 없는 선언을 철저하게 믿음으로써 극복되는 것이다.

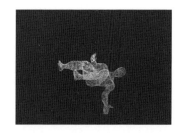

무언가가 알려지려면 말해야만 하고, 또 그것은 일단 말
해진 이상 일시적이나마 진실이 되는 것이다.

사랑하는 이와의
소통방식

그 사람은 알아차리지도 못하는 일 때문에 내가 울었다고 가정해 보자(눈물을 흘리는 것은 사랑하는 육체의 정상적인 활동이다). 그리하여 그것을 안 보이려고 내 뿌예진(이것은 부인(否認)의 좋은 사례이다. 보이지 않으려고 시선을 흐리게 하는 것) 눈에 검은 안경을 썼다 하자. 이 몸짓의 의도는 계산된 것이다. 나는 동시에 모순되게도 금욕주의적인 '의연함'의 그 도덕적 이득을 취하려 하며(나는 자신을 클로틸드 드 보로 간주한다), 또 그의 다정한 질문("무슨 일이오?")을 유발하고자 한다. 나는 동시에 가련하고도 감탄할만한, 같은 순간에 아이이자 어른이고 싶어 한다. 그러나 그렇게 함으로써 나는 일종의 도박을 하는 셈이며, 자신을 위태롭게 한다. 왜냐하면 그 사람은 이 별난 안경에 대해 전혀 물어보지 않을 수 있으며, 또 그 사실에서 어떤 기호도 알아차리지 못할 수 있기 때문이다.

– 롤랑 바르트, 『사랑의 단상』, 동문선, 73쪽

사랑하는 관계에서 소통이란 참으로 오묘한 것이다. 내가 표현하는 것을 상대가 어디까지 수용할 수 있을지, 수용할 수 없을지 알 수 없다. 아무리 밀접한 관계라고 상정해도 상대는 '타자'다. 고로 연인 관계는 서로에게 가장 솔직하지만 어떨 땐 가장 거짓되기도 한다. 이 거짓됨이 그들의 관계를 지속할 수 있게 만들기 때문이다.

특히 연애 초반에는 상대로 인해 서운함이 있을 때, 그것을 어떻게 표현해야 할까 고민을 많이 한다. 흔히들 '눈치'를 준다고 하는데, 이것을 상대가 알아주지 않는다고 해서 당장에 타박하는 것은 잘못된 일이다. 상대는 '타자'이기 때문에 알아차리지 못할 수도 있는 것이다. 소통의 부재는 마땅한 것이다. 중요한 것은 이것을 어떻게 받아들이며 어떻게 행동하느냐다.

그 사람은 내가 의도한 어떤 기호도 알아차리지 못할 수 있다.

집착의
과정

그리하여 어느 날인가 나는 내게 일어났던 일을 마침내 이해하게 된다. 사랑받지 못했기 때문에 괴로워한다고 믿고 있었는데, 실은 사랑받는다고 믿고 있었기 때문에 괴로워했던 것이다. 나는 동시에 사랑을 받고, 또 버림을 받았다고 믿는 그런 복잡한 상황 속에 살아왔던 것이다.

– 롤랑 바르트, 『사랑의 단상』, 동문선, 269~270쪽

사랑은 단절된 타자와의 궁극적인 소통이지만 모든 판단은 나에게 주어진다. 모든 판단이 나에게 주어져 있다는 미궁에 빠지는 순간, 집착이라는 구체적인 행위가 나타날 수 있다. 상대가 피로해질 정도로 사랑을 확인한다. 결국 "사랑해"라는 말이 "넌 날 반드시 사랑해야만 해"라는 의미를 내포하게 된다. "사랑해"라는 말에 '나를 사랑하지 않는 것 같아'라는 두려움이 내포되어있는 것이다.

집착하는 사람은 어떤 단서에서도 상대가 나를 사랑한다는 확증을 얻지 못한다. 타자와의 완전무결한 조우라는 불가능성에 도전하다보니 결국 상대를 완전히 묶어버리는 것이다. 집착이라는 강제적 행위는 상대의 삶 구석구석으로 파고들어 움직일 수 없게 만든다. 사랑한다는 것과 사랑받는다는 것을 등가물로 여기면 사랑의 크기를 계산하는 어리석은 행위가 시작된다. 사랑의 실체를 알 수 없는데, 사랑의 크기는 어떻게 잴 것인가.

사랑받지 못했기 때문에 괴로워한다고 믿고 있었는데, 실은 사랑받는다고 믿고 있었기 때문에 괴로워했던 것이다.

연인들이 서로
오해하는 이유

나는 이런 모순에 사로잡힌다. 나는 그 사람을 누구보다도 잘 알고 있고, 또 그에게 그 사실을 의기양양하게 시위한다("난 당신을 잘 알아요, 나만큼 당신을 잘 아는 사람도 없을걸요!"). 그러면서도 나는 그 사람의 마음을 꿰뚫어 볼 수도, 찾아낼 수도, 다룰 수도 없다는 명백한 사실에 부딪히게 된다. 나는 그 사람을 열어젖혀 그의 근원까지 거슬러 올라갈 수도, 수수께끼를 풀어헤칠 수도 없는 것이다. 그는 어디서 온 사람일까? 그는 누구일까? 나는 기진맥진해진다. 나는 그것을 결코 알지 못할 것이다.

— 롤랑 바르트, 『사랑의 단상』, 동문선, 195쪽

연애나 결혼 생활이 오래되면 연인은 서로에 대해 많은 것을 안다고 생각한다. 말하지 않아도 그의 표정이나 눈빛, 행동으로 대부분의 것을 '매우 정확하게' 판단한다. 중요한 것은 판단의 '옳고 그름'이 아니다. 상대에 대한 자신의 해석이 '매우 정확하다'고 믿는 것이다. 물론 이 해석이 그들의 관계를 더욱 윤택하게 할 수 있다. 그만큼 서로에 대한 이해심이나 친밀도가 깊어졌다고 생각할 수 있기 때문이다.

하지만 해석의 과정을 절대적으로 신뢰하고, 자신을 확신한다면 더없이 큰 갈등이 시작될 수 있다. 그 시작은 '의심'이다. 의심은 심증일 뿐이다. 그러나 오래된 연인은 이것을 확증이라고 생각한다. 확증은 부정적인 상황에서 깊은 오해를 불러온다.

무고한 이가 의심받는다면 사과할 것도 없고 반성할 것도 없다. 하지만 의심하는 이는 자신의 의심을 이미 확신하고 있다. 그렇기에 의심하는 이에서부터 시작된 불신은 오해와 상처로 점철된다. 고로 시간이 지날수록 상대는 '낯선 타자'가 될 수 있다는 점을 인식하기 위

그는 어디서 온 사람일까? 그는 누구일까? 나는 기진맥진
해진다. 나는 그것을 결코 알지 못할 것이다.

해 노력해야 한다. 때로는 상대에 대해 '아는 게 쥐뿔도 없다'라는 겸
손한 태도를 가질 필요가 있는 것이다.

연인들의
불청객

내가 원하는 것은 '우리 둘만이(nous deux)'(이것은 프랑스의 한 감상적인 잡지의 이름이기도 하다) 사는 작은 우주이다(그것의 시간과 논리를 가진). 그러므로 외부로부터 오는 것은 모두 위협이다. … (중략) …

정보 제공자는 나에게 별 대수롭지 않은 정보를 넘겨주면서 하나의 비밀을 드러나게 한다. 이 비밀은 심오한 것이 아닌 외부로부터 오는 것이며, 나에게 감추어졌던 것도 바로 그 사람의 외부이다. … (중략) … 흐릿하고도 배은망덕한 현실의 파편이 내 머리 위로 떨어진다. 사랑의 부드러움에 비해 모든 사실은 공격적인 양상을 띤다.

– 롤랑 바르트, 『사랑의 단상』, 동문선, 202~203쪽

서로만 바라보던 열정적인 사랑이 시간이 지나면서 가라앉는다. 그들은 차분해지고 주변을 돌보기 시작한다. 둘 만의 시간을 보내느라 연락을 못 했지만, 친구들은 여전히 제자리에 있다. 친구들은 항상 내 편이다. 그러나 그중에서도 불청객이 있다는 점을 간과해서는 안 된다.

불청객은 '정보 제공자'의 역할을 한다. 내가 알지 못했던 연인에 대한 과거나, '그(혹은 그녀)에게 실망할 만한' 내용을 포함한 사실을 넌지시 던진다. 혹은 그러한 사실이 아닌 별자리 운세 정도의 내용으로 우리의 관계를 짐작하게끔 만든다. 이러한 정보 제공을 신뢰하고 관계에 관한 의심이나 편향적인 해석을 한다면, 불청객의 의도치 않은 의도에 걸려든 것이다.

친구를 위한다면 조잡한 단서들로 그들의 관계에 대한 조언을 하지 말아야 한다. 본인은 심각한 척 접근하지만 결국 친구를 가십거리로 만드는 것 이상의 의미를 가지지 못한다. 필요한 것은 공감과 이해

사랑의 부드러움에 비해 모든 사실은 공격적인 양상을 띤다.

뿐이다. 그것을 벗어나는 것은 불필요하다. 연인들은 사소한 사실에
도 무척 민감해질 수 있다. 끊임없이 정보를 제공하는 것은 그들 주변
에 이별과 후회의 구덩이를 만드는 일이다. 본인이 가진 정보를 확신
하지 말라. 또한 말할 필요가 없는 것에 대해 침묵하라.

상대가 부재할 때
진실이 구성된다

불교의 한 공안(公案)은 다음과 같이 말한다. "스승이 제자의 머리를 오랫동안 물속에 붙잡고 있었다. 점차 물거품이 희박해지고, 마지막 순간에 가서야 스승은 제자를 꺼내어 되살린다. 네가 지금 공기를 원했던 것처럼 진실을 원할 때, 너는 비로소 진실이 무엇인지를 알게 되리라."

그 사람의 부재는 내 머리를 물속에 붙들고 있다. 점차 나는 숨이 막혀가고, 공기는 희박해진다. 이 숨막힘에 의해 나는 내 '진실'을 재구성하고, 사랑의 다루기 힘든 것을 준비한다.

– 롤랑 바르트, 『사랑의 단상』, 동문선, 36~37쪽

사랑하는 사람이 절실해질수록 상대가 부재하는 시간은 고통이 된다. 내가 얼마나 상대를 사랑하는지를 알기 위해서는 상대와 떨어져 있는 동안 자신의 마음을 살펴보면 된다. 연인들이 데이트 시에 헤어짐을 아쉬워하는 것, 그리고 상대가 존재하지 않는 곳에서 상대를 생각하며 사랑에 빠지는 순간들 모두가 사랑에 관한 '진실의 재구성'을 하는 시간이다. 상대의 소중함은 상대가 없을 때 비로소 느껴지는 것이다. 따라서 사랑하는 상대가 부재하는 곳에서 자신도 몰랐지만 자신이 가지고 있었던 사랑에 관한 의외의 '진실'들을 발견할 수도 있다.

서로의 부재를 해결하기 위해 결혼이라는 제도를 선택할 수 있는데, 이것이 심리적으로나 시간적으로나 자신을 숨 막히게 했던 사랑을 더 뜨겁게 만들 것인지, 아니면 느슨하게 만들 것인지는 두고 봐야할 일이다.

그 사람의 부재는 내 머리를 물속에 붙들고 있다. 점차 나는 숨이 막혀가고, 공기는 희박해진다. 이 숨막힘에 의해 나는 내 '진실'을 재구성한다.

연애냐
매춘이냐

안착하고자 하는 것은 평생 동안 온순하게 내 말을 들어줄 사람을 얻고자 함이다. 받침대로서의 구조는 욕망과는 분리된다. 내가 바라는 것은 단지 고급 창녀나 창부처럼 '부양받고자' 하는 것이다.

– 롤랑 바르트, 『사랑의 단상』, 동문선, 77쪽

연인의 완전한 자유를 인정하는 것은 어려운 일이다. 그녀는 나에게서 완전히 자유로울 권리가 있다. 그럼에도 그녀는 나로부터 완전히 자유롭지 않다. 그녀는 자발적으로 자신의 완전한 자유를 통제한다. 관계에서 발생하는 미묘한 규제를 납득하는 것이다. 그래서 사랑은 참으로 오묘하고 감사하다. 규제의 순간 속에서 느끼는 합일의 충만함은 정신을 해방시키기 때문이다. 그러나 그는 나로부터 자유로울 권리가 있다는 것을 늘 되새기며 인식해야 한다. 상대의 자발적 규제를 지극히 당연한 것으로 여기면, 서로가 주고받는 감정, 행위나 물질들은 화폐처럼 변질되고 차츰 더 많은 것, 더 불편한 것을 요구하게 된다. 이 요구들이 극단으로 나아갈 때는 연애가 아닌, 자신이 부양받기 위한 매춘을 하게 되는 것이다.

연인의 완전한 자유를 인정하는 것은 어려운 일이다. 그
녀는 나에게서 완전히 자유로울 권리가 있다. 그럼에도
그녀는 나로부터 완전히 자유롭지 않다. 그녀는 자발적으
로 자신의 완전한 자유를 통제한다.

섹스는 대화를
동반해야 한다

그 이유는 무엇일까? 그것은 결코 엄숙한 것이 아닌, 더욱이 결별의 선언 같은 데서 오는 것은 전혀 아니다. 그것은 아무런 예고도 없이 찾아오는, 이를테면 참을 수 없는 이미지의 여파나, 갑작스런 섹스의 거부 같은 데서 오는 것이다. 어린아이는 어머니에게서 버림받았다고 생각하는 순간, 유아기적인 것에서 생식기적인 것으로 넘어간다.

– 롤랑 바르트, 『사랑의 단상』, 동문선, 80쪽

사랑하는 연인들은 수많은 기호들을 만들어낸다. 소통의 과정이 '추리'하는 것과 비슷한 이유는 서로에게 해석해야 할 기호를 만들어내기 때문이다. 예를 들어 비가 오는 날 뜬금없이 그녀가 '비가 오네. 따뜻했으면 좋겠어'라고 말한다면, 그는 이 문장을 '빈대떡에 막걸리 한 잔이 필요해'라고 해석할 수도 있다. 오랜 시간 함께하면서 그녀의 기호를 해석하는데 익숙해진 것이다. 혹은 상대가 평소와 다르게 잘 웃지 않는다면, 이 '웃지 않음' 역시 하나의 기호가 된다. 그(혹은 그녀)의 연인은 이 기호를 끊임없이 해석해야 한다.

오랜 시간을 함께 한 연인은 서로의 기호에 익숙하다. 이 기호 중에서도 서로의 사랑을 노골적으로 증명하는 것이 바로 '섹스'다. '섹스'는 서로의 사랑을 표현하는 극한점이자 사랑에 대한 확신이기도 하다. 그러나 다른 곳에서 느끼지 못하는 말초적 쾌락을 동반한다는 점으로 인해 섹스는 쾌락과 소통 사이에서 애매해진다. 사랑해서 관계를 하는 건지, 아니면 단순히 쾌락을 위해서 관계를 하는 건지 의심을 하는 순간 '섹스'는 절망적인 기호가 된다. 상대가 갑작스레 관계를

어린아이는 어머니에게서 버림받았다고 생각하는 순간,
유아기적인 것에서 생식기적인 것으로 넘어간다.

거부할 때, 사랑의 확신도 함께 무너질 수 있기 때문이다. 고로 섹스
는 대화를 동반할 필요가 있다. 이성적인 행위와 본능적인 행위가 동
시에 필요한 아이러니하고도, 민감한 순간이다.

사랑과 언어가
분리될 때

한번은 그 사람이 우리 얘기를 하면서 이렇게 말하였다. '양질의 관계'라고. 이 말은 나를 불쾌하게 했다. 그것은 외부로부터 불쑥 나타나, 우리 관계의 특이함을 관례적인 서식에 의해 진부한 것으로 만들어 버리는 것이었다.

대체로 그 사람이 변질되는 것은 언어에 의해서이다. 그가 한마디 다른 말을 하면 하나의 완전히 다른 세계가, 즉 그 사람의 세계가 협박하듯 윙윙거리는 것이 들린다.

– 롤랑 바르트, 『사랑의 단상』, 동문선, 49쪽

사랑은 언어로부터 미끄러진다. 언어로 포획할 수 없는 것이다. 아무리 풍부한 어휘력과 언어를 구사하더라도 사랑이 유발하는 섬세한 현상들을 고스란히 전달할 수 없다. 그럼에도 우리는 우리의 사랑을 언어로 '잘', '멋있게' 설명해야 하는 상황을 종종 맞이한다. 연애와 연인의 근황에 대해 주변인이 안부를 물으면 나는 무엇이든 설명해야 하지만, 사실 그곳에 사랑의 진실 같은 것은 없다.

사랑의 진실을 언어로 전달하기란 불가능한 것이다. 그럼에도 재차 우리는 사랑의 진실을 언어라는 서식으로 설명해야 하는 순간을 또다시 맞이한다. 이 순간은 누적된 오해와 피로 속에서 맞이하는 이별의 직전이다. 꽤 위협적인 순간이다. 설명할 수 없는 것을 어떻게든 설명해야 하는 절망 속에서 우리는 언어가 보잘것없다는 것을 차차 깨닫는다. 언어와 현상은 어긋나고, 표현의 과정 속에서 사랑은 변질된다. 이런 숙명 속에서 우리는 마음으로 싸우는 것이 아니라, 껍데기로 싸운다. 말꼬리를 물고, 상대의 실수를 맹렬하게 공략한다. 어떤 진실도 전달하지 못했지만, 강렬하고 너저분한 상처를 그럴싸하게 남긴다.

그가 한마디 다른 말을 하면 하나의 완전히 다른 세계가.
즉 그 사람의 세계가 협박하듯 윙윙거리는 것이 들린다.

사랑은 일상 속에서
순수한 추억이 된다

사랑의 정경은 처음의 황홀했던 순간처럼 뒤늦게야 만들어진다. 이것이 건망
증이다. 내가 단지 시간만을, 시간 그 자체만을 기억한다는 것처럼 극적인 것
은 전혀 없는 무의미한 것만을 되찾게 하는 그런 건망증 말이다. 그것은 버팀
이 없는 향기, 기억의 낱알, 단순한 방향제이다.

— 롤랑 바르트, 『사랑의 단상』, 동문선, 308쪽

사랑의 '일상'을 추억하는 일은 애틋하다. 연인과의 일상이 나에게 완전한 '습관'이 되었기 때문이다. 중요한 일부터 사사로운 일들까지 빠지지 않고 이야기하며, 상대 역시 마찬가지로 나에게 많은 것을 이야기한다.

　사랑에 빠진 사람은 서로의 일기장이 된다. 일상 속에서 사랑을 담은 소박한 한 마디가 유난히 소중한 이유는, 습관 같은 일상 위에 그 말이 던져짐으로써 사랑이 부각되기 때문이다. 기념일은 기념일이라는 이름표가 붙은 만큼 그 시간 동안 오가던 말들이나 행위들이 기억에 남는다기보다, 기념일이라는 모양새가 그 하루를 덮는다. 즉, 기념일이 사랑을 발견한 일상보다 더 나을 것은 없다는 말이다. 일상에서 오가는 작은 선물이나 '사랑해'라는 한 마디-심지어 작은 미소까지도-는 '특별한 날이 아니기' 때문에 진심 같다.

　이별이 트라우마를 남기는 이유는 상대가 내 삶의 대부분을 지배하는 '일상'을 기록하고 있었고, 이 '습관'이 통째로 떨어져 나가기 때

사랑의 정경은 처음의 황홀했던 순간처럼 뒤늦게야 만들
어진다.

문이다. 나를 따뜻하게 대하던 일상의 순수한 진심들이 이제는 다 거
짓말이다. 추억거리였던 과거의 일상이 자신을 쓸쓸하게 만들고, 앞
으로 다가올 일상은 상대적으로 너무나 무의미해 보인다.

선물은 기억을
담고 있다

베르테르는 물신 숭배의 몸짓을 여러 번 한다. 로테가 생일 선물로 준 리본이나 편지 쪽지(입술에 모래가 묻는 것도 상관치 않고), 심지어는 그녀가 만졌던 권총까지도 입을 맞춘다. 사랑하는 이로부터 그 무엇으로도 가로막을 수 없는 힘이 흘러나와 그것이 스쳐가는-비록 하나의 시선에 지나지 않을지라도-것은 모두 적셔놓는다. 베르테르가 로테를 만나러 갈 수 없어 대신 하인을 보냈을 때도, 하인은 로테의 시선이 머문, 그리하여 로테의 일부분이 된다.

— 롤랑 바르트, 『사랑의 단상』, 동문선, 251쪽

선물은 대가를 바라지 않는 순수한 증여가 되었을 때 아름답다. 연인에게 선물한다는 것은 나의 일부분을 증여하는 것이다. 물건은 사연과 생명을 부여받는다. 하나의 물건에서 상대를 떠올리고 사랑에 더욱 몰입한다. 가령 그녀가 거울을 선물 받았다면, 거울을 볼 때마다 그를 자연스럽게 떠올릴 수 있다. 하루하루를 그녀의 정신 속에서 함께 하는 것이다.

이별한 연인이 상대로부터 받은 선물들을 모조리 폐기하는 것은 옛사랑의 트라우마로부터 벗어나기 위해서다. 선물은 당신의 분신처럼 상대를 따라다니기에 사랑할 때는 애틋하고, 이별 후에는 트라우마가 된다. 선물은 당신들의 기억을 담고 있다.

베르테르가 로테를 만나러 갈 수 없어 대신 하인을 보냈을 때도, 하인은 로테의 시선이 머문, 그리하여 로테의 일부분이 된다.

연애를 해본 사람이
더 외로운 이유

기다림은 하나의 주문(呪文)이다. 나는 움직이지 말라는 명령을 받았다. 전화를 기다린다는 것은 이렇듯 하찮은, 무한히 고백하기조차도 어려운 금지 조항들로 짜여 있다. 나는 방에서 나갈 수도, 화장실에 가거나 전화를 걸 수도(통화 중이 되어서는 안 되므로) 없다. 그래서 누군가가 전화를 해오면 괴로워하고(동일한 이유로), 외출해야 할 시간이 다가오면 그 자비로운 부름을, 어머니의 귀가를 놓칠까 봐 거의 미칠 지경이 된다. 기다림 편에서 볼 때 이런 모든 여흥에의 초대는 시간의 낭비요, 고뇌의 불순물이다. 왜냐하면 순수한 상태에서의 기다림의 고뇌란 내가 아무것도 하지 않은 채 전화가 손에 닿는 의자에 앉아 있기만을 바라기 때문이다.

— 롤랑 바르트, 『사랑의 단상』, 동문선, 66쪽

약속 시간에 상대가 늦어졌을 때, 우리는 할 수 있는 것이 별로 없다. 가까운 장소에서 무한히 기다리는 것밖에는 없다. 상대는 실질적으로 존재하지 않는 순간에도 내 삶에 관여한다.

연인들 간 약속 시간이 늦어질 때 다투는 일이 있는 것은 자연스럽다. '기다리면' 상대가 도착할 것이기 때문에 기다리는 시간은 '외로운' 시간이 된다. 만남이 도래하기 직전일수록 나는 '홀로' 있는 것이 두려워진다. 만날 때마다 상대의 늦음이 반복된다면 기다리는 시간은 더욱 초조하고 외로운 시간이 된다. 오늘은 제 시간에 올까. 나를 사랑한다면 이렇게 늦을 수 있는 건가. 기다리게 해서 되는 건가. 하고 온갖 '망상'에 사로잡힌다. 혹은 너를 '기다림'으로써 허비되는 '내 소중한 시간은 어떻게 할 것인가' 하는 쿨하지만 이기적인 다툼의 이유도 있다.

'연애'와 같이 타자와 밀접한 관계를 할수록 홀로 있을 때 외로움은 더 크게 다가온다. 연애는 마약 같은 것이다. 애초에는 외롭지 않

기다림은 하나의 주문(呪文)이다.

앉는데, 빈자리를 남기고 후유증까지 만들고 간다. 그렇기에 연애를 해본 사람이 오히려 타인을 더욱 갈구하게 되는 것이다.

권태의
합리화

타인과 필연적으로
마주칠 수밖에 없는 삶이라면
감정 연습은 불가피하다.
나는 타인의 시선으로부터 자유로울 수 없지만
타인은 나로부터 완전히 자유로운 것처럼
느껴지기 때문이다.

너를
기다리는 동안

네가 오기로 한 그 자리에

내가 미리 가 너를 기다리는 동안

다가오는 모든 발자국은

내 가슴에 쿵쿵거린다

바스락거리는 나뭇잎 하나도 다 내게 온다

기다려본 적이 있는 사람은 안다

세상에서 기다리는 일처럼 가슴 애리는 일 있을까

네가 오기로 한 그 자리, 내가 미리 와 있는 이곳에서

문을 열고 들어오는 모든 사람이

너였다가

너였다가, 너일 것이었다가

다시 문이 닫힌다

사랑하는 이여

오지 않는 너를 기다리며

마침내 나는 너에게 간다

아주 먼 데서 나는 너에게 가고

아주 오랜 세월을 다하여 너는 지금 오고 있다

아주 먼 데서 지금도 천천히 오고 있는 너를

너를 기다리는 동안 나도 가고 있다

남들이 열고 들어오는 문을 통해

내 가슴에 쿵쿵거리는 모든 발자국 따라

너를 기다리는 동안 나는 너에게 가고 있다

— 황지우, 「너를 기다리는 동안」

타인이 그 자체로 고유한 타인일 수 없이 스스로 만들어 낸 하나의 이미지로만 존재한다고 할 때, 누군가를 기다리는 일은 정말 가슴 애리는 일이다. 기다리는 시간의 간격은, 오기로 한 그 누군가로 채워지고 있기 때문이다. 짧지만 강렬하게, 타인으로 채워지는 시간이다.

그래서 참 애처롭고 아름답다. 실제로 누군가를 만나는 시간은 아니지만, 또 다른 방법으로 누군가를 이미 만나고 있다. 어정쩡하게 약속 장소를 맴돌거나 혹은 카페와 같은 장소에서 있든, 딱히 아까울 것 없는 시간이다.

　황지우의 「너를 기다리는 동안」은 이 순간을 탁월하게 묘사하고 있다. 표현과 관념들이 놀랍게 적확해서 오래도록 꾹꾹 씹어 먹는 맛이 있다. 이 시를 읽고 누군가를 기다리는데 지겨운 시간 같은 건 없다고 생각했고, 이후로 아직도 그렇게 느끼고 있다.

문을 열고 들어오는 모든 사람이
너였다가
너였다가, 너일 것이었다가
다시 문이 닫힌다
사랑하는 이여
오지 않는 너를 기다리며
마침내 나는 너에게 간다

기약 없는
기다림

3주 만에 우리 강아지 '두타'를 만났다. 2년 전 두타를 데려온 후, 이렇게 오랫동안 떨어져 있기는 처음이었다. 녀석은 10분을 넘게 뽀뽀를 해댔고, 난생처음 보는 표정을 지었다. 그 표정이 활짝 웃는 표정 같아 마음이 찡했다. 나 역시 3주 동안 두타를 너무나 보고 싶었고, 마지막 한 주 동안은 매일 같이 꿈에 나와서 반가움에 울기도 했다.

볼 수 있었다는 기약이 있었기에 그나마 기다릴 수 있었다. 그렇다면 두타는 어땠을까. 약속이라는 개념을 모른다면, '언제 돌아오나, 다시 볼 수 있을까' 하는 하염없는 기다림만 있을 것이다. 기약 없는 기다림이 얼마나 힘겨운 일이며 마음을 무겁게 하는가.

문득 권여선의 소설 「사랑을 믿다」가 생각났다. 실연은 자신을 붕괴시키기도 하지만, 인간적으로 도약할 계기를 제공하는 값진 경험이 될 수 있다. 그러나 내가 기억 못 하는 나의 영향으로 인해 누군가의 삶이 사랑으로 가득 채워졌다면 어떨까. 시린 일이다. 내가 모르기 때문에 그를 아무렇지 않게 떠날 수 있다는 것과 그녀의 정신과 일순간

기억이란 오지 않는 상대를 기다리는 방식이며 포즈이기도 하다는 걸 …(중략)…
사랑이 보잘것없다면 위로도 보잘것없어야 마땅하다. 그 보잘것없음이 우리를 바꾼다.
그 시린 진리를 찬물처럼 받아들이면 됐다.

– 권여선, 『사랑을 믿다』中에서

이 나로 인해 처참히 붕괴되는 것을 알지 못한다는 것. 그리고 그녀
는 내가 언젠가 돌아올 것이라고 생각한다는 것.

　벤치에 누워 마음 편히 쉬다가도 낯선 사람이 지나가면 자세를 고
쳐야 할 때가 있으며, 익명의 시선들을 의식해 수시로 화장을 고치
기도 한다. 내 삶은 누구의 것일까. 타인은 그렇게 허락 없이 내 삶의
문을 열고 들어온다. 물론 나 역시 마찬가지로 남의 삶에 허락 없이
침범하고 있겠지.

지심동백

혈서 쓰듯,

날마다

그립다고만 못하겠네

목을 놓듯,

사랑한다고

나뒹굴지도 못하겠네

마음뿐

겨울과 봄 사이

애오라지 마음뿐

― 박명숙, 「지심동백」中에서

사랑하는 이에게 어쩌지 못하고 쩔쩔매는 화자의 마음이 잘 드러나는 시다. 그립다, 사랑한다는 말을 많이 할수록 내가 상대에게 익숙해지고, 익숙해짐에 따라 상대의 감정이 사그라지는 것. 결국 나를 무감각하게 여기게 되는 것에 대한 두려움이 느껴진다. 그래서 밀고 당기기 하는 마음뿐이다. 이 마음은 굉장히 절실한 것이다. 남녀의 감정 사이에 일어나는 밀고 당기기가 모두 의도적이지만은 않다.

익숙함은 굉장히 무서운 습관이다. 시간이 지나다 보면 아무런 연유 없이 상대와의 일체감을 느끼게 된다. 유치하지만, 이것은 습관적인 사랑이다. 동시에 독이다. 익숙한 감정과 싱싱하지 못한 태도들에 두려움을 느낀 상대가 지쳐 이별을 선고하는 것은, 연유 없는 나의 습관을 강제로 보내야 하는 일이다. 습관은 나다. 습관이 떨어져 나가는 것은 나의 일부를 상실하는 것이다. 정말 힘겨운 일이다. 이 힘겨운 일을 후회라고 한다.

감정 연습 -
질투

집을 나서면 우리 강아지는 꼭 낑낑거린다. 감정을 고스란히 소리 내는 것이다. 숨기는 것이 없다. 참 사랑스럽다. 이와 달리 사람은 필요에 따라 감정을 감추기도 한다. 사람과 사람을 경험하다 보면 감정을 다스릴 줄 알게 된다. 나아가면 감정을 능숙하게 표현할 수 있다. 겉과 속을 제어하는 감정 연습을 하게 되는 것이다. 솔직한 감정을 유연하게 전달하는 방법도 알게 되지만, 가식과 허례허식에도 능해진다. 좋아도 좋지 않은 내색이 어렵지 않고, 좋지 않아도 좋은 내색이 그리 어렵지 않다.

타인과 필연적으로 마주칠 수밖에 없는 삶이라면, 감정 연습은 불가피하다. 나는 타인의 시선으로부터 자유로울 수 없지만, 타인은 나로부터 완전히 자유로운 것처럼 느껴지기 때문이다. 감정 연습은 타인으로 인한 상처를 줄이기 위한 연습이기도 하다. 그러나 수많은 감정 연습들이 감정을 헐겁게 한다. 경험이 쌓이고, 많은 사람을 접하게 될수록 기쁨이나 슬픔, 분노, 연민 등 감정의 농도가 묽어진다.

내 희망의 내용은 질투뿐이었구나
그리하여 나는 우선 여기에 짧은 글을 남겨둔다
나의 생은 미친 듯이 사랑을 찾아 헤매었으나
단 한번도 스스로를 사랑하지 않았노라

- 기형도, 「질투는 나의 힘」 中에서

그럼에도 얼마나 교활한가. 강아지가 끙끙거리는 모습이 어찌나 사랑스러운지. 사랑하는 사람이 질투할 때 얼마나 가슴이 따뜻해지는지. 그리고 보면 「질투는 나의 힘」 속의 기형도 시인은 참 맑은 사람인 것 같다. 질투가 당신의 힘이라니! 질투에 가득 찬 사람이 얼마나 힘차던가. 잠을 안자도, 밥을 안 먹어도 눈이 이글이글하게 불타오르지 않는가.

'나의 생은 미친 듯이 사랑을 찾아 헤매었으나 / 단 한 번도 스스로를 사랑하지 않았노라'

자신이 온전해야 다른 사람도 온전히 사랑할 수 있다고 하지만, 씁쓸한 마음을 삼키지 않을 수 없다. 그는 단 한 번도 스스로를 사랑하지 않은 것이 아니라, 누군가를 열렬히 사랑했기 때문에 스스로를 사랑할 수 없었던 것이다. 목숨을 내건 사랑은 때로 집착이나 질투에 가깝지 않을까 생각해본다. 이 헐거워진 감정을 어떻게 다시 꽉꽉 조아 맬 수 있을까.

바다

손바닥과 혓바닥과 발바닥,
이 세 바닥을 죄 보여주고 감쌀 수 있다면
그건 사랑이겠지,
언젠가 바닥을 쳐도 좋을 사랑이겠지

— 박성우, 「바닥」中에서

박성우의 시 「바닥」은 중의적 의미를 묘하고 가슴 아리게 사용하고 있다. '바닥'을 통해 관념적인 사랑의 의미를 하나의 구체적인 체험으로 끌고 간다.

시가 말하는 것처럼 바닥을 쳐도 좋을 것이 사랑이다. 집착과 욕망, 차이 등 관계의 복잡성이 얽힌 사랑은 사람을 바닥으로 끌고 간다. 부모님도 친구도 볼 수 없는 내 최악의 경우를 연인은 보고 있다. 서로가 바닥까지 가는 길은 파국으로 이어질 수 있지만, 서로를 더욱

언젠가 바닥을 쳐도 좋을 사랑이겠지'

깊이 알 수 있는 반전의 기회가 되기도 한다. 사랑은 상대에 대한 앎이 닿지 않는 깊음으로 뻗어 나가야 할 일이기 때문이다. 바닥을 쳐도 좋을 만한 사랑이어야 사랑이라 기꺼이 말할 수 있지 않을까.

사랑하던 연인이 어느 순간 발을 보여주지 않으려고 한 적이 있었다. 연인의 예쁜 발을 볼 수 없게 되었다. 겨우 발을 못 보는 일이었지만 절망감은 놀랍게 컸다. 그 작은 변화 앞에서 사랑이 끝났다는 확신이 들었고, 가슴이 무척 서늘했다. 얼마 가지 않아 이별하게 되었다.

서로의 발바닥을 아무렇지 않게 보여주고 만질 수 있는 것은 큰 부분이었다. 그 자체로 사랑이었다. 손바닥을 맞대어 손을 잡고, 혓바닥을 맞대고 키스를 하는 것. 육체적인 의미와 관념적인 의미의 사랑은 별개가 아니었다. 「바닥」 앞에서 다시 생각해봐도 세 바닥을 죄 보여주고 감쌀 수 있는 것이 사랑이겠고, 그래야 바닥을 쳐도 좋을 사랑이겠거니 했다.

영화 「러브레터」에서
숨은 사랑 찾기

영화 「러브레터」에서 주목받는 사랑은 히로코와 이츠키의 사랑이다. 히로코가 눈 덮인 산을 향해 "오겡끼 데스까"를 외치는 장면은 마음을 먹먹하게 만든다. 관객들이 「러브레터」에서 쉽고 선명하게 볼 수 있는 사랑이다. 많은 사람들이 여기서 눈물을 흘리거나 훔치는데, 나 역시도 다시 보며 눈물을 흘리곤 한다. 그러나 감정이 먹먹해지는 것은 히로코 뒤에 아키바가 서 있기 때문이다.

아키바는 히로코의 애인이다. 아키바를 단순히 히로코 옆에 서 있는 등장인물인 줄로 생각하고 기억에서 스쳐 보내는 사람들이 있지만, 그는 뜨겁고 넓은 사랑을 가지고 있는 중요한 인물이다. 히로코는 과거 사랑했던 이츠키를 잊지 못한다. 이츠키는 세상을 떠난 사람이다. 아키바는 이츠키를 잊지 못하는 히로코를 보며, 그를 만나러 가자고 권유한다. 「러브레터」를 본 사람이면 누구나 쉽게 떠올리는 눈 덮인 산의 히로코 씬은, 아키바의 마음에서 출발한 것이다. 히로코가 이츠키를 부르는 장면에서 그녀보다 먼저 이츠키를 부르는 것은 아키바다.

"후지이! 너 아직 그 노래 부르고 있냐? 거긴 안 춥니. 히로코는 내가 책임질게. 좋아. 좋아.. 좋아... 거 봐, 좋다잖아."

그는 매 장면 이를 환하게 드러내며 웃고, 여유가 있는 사람으로 비추어진다. 겉으로 드러나는 여유가 꼭 내면의 여유를 뜻하는 것은 아니다. 속이 쓰려도 사랑하는 사람 앞에서는 웃어야 할 때가 있다. 웃는 표정으로 애인의 등을 밀며 옛 연인의 이름을 불러보라는 그의 태도는 가슴을 아리게 한다. 히로코가 이츠키를 목 놓아 부를 수 있는 것도 그의 포용 때문이다. 아키바의 사랑은 상대의 모든 것을 끌어안는 사랑이다.

여유로운 태도는 타고나는 것도 있지만, 경험에도 기인한다. 여유는 여유에서 나오는 것이 아니다. 여유가 나오는 곳은 오히려 상처에 가깝다. 무수한 상처의 경험들이 사람을 여유롭게 한다. 그래서 여유는 슬픈 것이다. 좋은 일보다는 어려운 일 앞에서 여유가 절실해진다. 상대가 사랑하는 혹은 사랑했던 사람까지 함께 사랑할 수 있는 여유.

이것은 어떻게 보면 지독함이다. 여유는 집착과 같은 사랑에 따르는 여러 감정을 크게 넘어서는 지독함이자 나의 죽음이다. 내가 죽음으로써 상대를 넓게, 온전히 받아들이는 것이다.

조르주 바타유의 이야기처럼 사랑이 죽음을 부르는 경우가 있다. 애처로운 경우는 자살이다. 아키바는 자살한 남자다. 물리적인 자살은 아니다. 그의 자살은 정신적인 자살이다. 그래서 그가 애처로운 것이다. 정신적으로 자살한 사람이 시간을 겪고 긍정적인 방향으로 선회하면 여유로워질 수 있다. 아키바는 그런 캐릭터다. 그는 웃고 있지만, 다른 사람을 보는 히로코로 인한 슬픔을 안아야 한다. 슬프지만 여유로워야 하는 것. 그녀를 온전히 사랑하기 위한 방법이다. 아키바의 미소를 보면 눈물이 난다.

히로코가 자신을 등지고 이츠키를 부를 때, 아키바의 사랑은 완성된다. 「러브레터」에는 이처럼 또 다르게 애틋한 사랑이 숨어있다. 전체를 보는 사람은 한 걸음 뒤로 물러선다. 그가 히로코의 뒤에 있는

것은 그녀의 전체를 보기 위해서이다. 그리고 그녀의 모든 것을 사랑
으로 받아들이려 하는 것이다. 하얀 눈밭은 봄을 예견한다. 과거를
함께 품은 그들의 사랑은 깊어질 것이다.

섹스의 해부학,
침대 위의 소통

섹스는 기호다. 말이나 글보다 많은 것을 알려줄 때가 있다. 섹스는 해부학을 닮았다. 상대의 안으로 들어가서 확인한다. 보는 것을 넘어 맛을 보려 하고, 입술 안의 혀를 원한다. 겉옷을 벗기고 속살을 보고, 만지고 확인하고 삽입한다. 애정은 상대를 부수는 행위까지 나아갈 것만 같다. 깨물어버리고 싶다거나 으스러지도록 안아줘, 앞 이빨이 쏙 빠지도록 키스해달라는 말들도 이 맥락에 있다. 모두 사랑스럽지만 폭력적이면서 해부적인 표현들이다.

섹스의 해부학을 통해서 연인은 서로를 진단할 수 있다. 상대를 온전히 이해한다는 것은 불가능한 일이다. 그러나 의사가 맥을 짚거나 청진기를 대서 몸의 상태를 진단하듯, 상대의 경계를 만지고 맛을 보면서 사랑의 밀도를 어렴풋이 진단할 수 있다. 상대의 겉옷을 벗기고 몸을 확인할 때, 상대는 두 가지의 자세를 취할 수 있다. 하나는 부끄러운 감춤이고, 또 다른 하나는 불쾌한 감춤이다. 부끄러운 감춤은 서서히 들추어내고 확인할 수 있는 애틋함이 있지만, 불쾌한 감춤은 거부의 제스처와 같다. 오래된 연인의 불쾌한 감춤은 권태의 청신호이기도 하다.

섹스를 할 때 눈을 감는 사람이 있다. 부끄러워서 눈을 감을 수 있고, 감각에 몰입하기 위해 눈을 감을 수도 있다. 최악의 경우는 눈을 감고 다른 사람을 상상하는 것이다. 섹스가 사랑의 기호가 되기 위해서는 피치 못할 경우를 제외하고 상대의 눈을 바라보는 것이 낫다. 여기서 피치 못할 경우라는 것은 나도 모르게 눈을 감는 경우를 말한다. 「쇼킹재팬 : 색의 나라」라는 일본 AV와 요요추 감독에 관한 다큐멘터리가 있다. 여배우의 한 인터뷰가 인상적이다.

"오르가슴을 느낄 때 상대의 눈을 보라고 하시거든요. 처음에는 믿을 수가 없었어요. 상대방의 눈을 보면서 오르가슴을 느낀 적이 없었거든요. 하지만 그렇게 하지 않으면 자위랑 다를 게 없다고 하셨어요."

오르가슴이 주는 짜릿함은 눈을 감게 만들기도 하지만, 쾌락이 일시적이라는 것을 감안한다면 서로의 눈을 바라보고 순간을 공유하는 것이 더 짜릿할 수 있다. 오르가슴을 공유하지 못하는 것은 안타까운 일이다. 섹스는 사랑의 또 다른 언어이기 때문이다.

연인은 서로의 기호에 익숙하다. 문자 속의 이모티콘 하나에서도 상대의 현재 기분을 상당 부분 짐작할 수 있다. 섹스에서도 익숙함에 무뎌져 짐작만 남고, 대화가 결여되면 위험하다. 기계적인 피스톤 운동은 의심을 부른다. 섹스가 쾌락을 위한 도구가 되고 있는 건 아닌지 의심하는 순간부터 섹스는 권태와 죽음을 맞이한다. 침대는 카페의 연장선이 되어야 하고, 섹스는 대화의 연장선이 되어야 한다. 그렇지 않으면 상대는 어느 날 갑자기 섹스를 거부하게 될 것이다. 그 앞에 발가벗고 서 있는 당신은 얼마나 쓸쓸한가.

우리는 왜 비현실적일 만큼의 선하고 고운 것에 매료되는가. 비현실적인 것은 현실에서 닿을 수 없는 경계와 그 너머의 것들이다. 경계는 마치 허물어지기 위해 존재하는 것처럼 자신을 부숴달라고 손짓한다. 우리는 수많은 경계와 금기들을 만나지만 그것에 의해 상상이나 사유를 제한받는 것이 아니라, 오히려 경계와 금기의 너머를 생각하도록 자극받는다. 한없이 거대한 벽을 만났을 때 그 너머를 무궁무진하게 상상하게 되는 것처럼, 제한되는 것이 많을수록 작은 일에도 음

탕해질 수 있는 것이다.

　다시 돌아와서 우리는 왜 선한 것, 청순한 것, 가련한 것, 순수하다고 지칭할만한 비현실적인 아름다움에 매료될 수 있는 것일까. 이것들은 경계, 거대한 금기를 던지고 있기 때문이다. 금기는 상상 속에서 범해진다. 에로티즘의 관점은 우리가 선한 아름다움을 그 자체로 신성하게 받아들이기 때문이 아니라, 그것을 더럽힐 수 있다는 가능성과 욕망을 달아오르도록 하여 매료될 수 있다고 이야기한다. 즉 선하고 순수하다고 지칭할만한 것들 앞에서 우리는 내면의 원초적인 동물성, 음란한 욕망들과 반갑게 재회한다. 이렇게 보면 (아직은 섹스하지 않고) 널 지켜주겠다는 말이 굉장히 야한 뜻을 띠게 된다. 내 언젠가는 너를 지키며 참아왔던 욕망을 활화산처럼 터뜨리겠다는 예고도 되니까.

　에로티즘이 인간 본성에 대한 정답을 알려주는 것은 아니지만, 어떤 현상이나 사건의 표면에 그치지 않고 표피를 뚫고 들어가는 치열

함에 대해서는 충분히 알려주고 있다. 에로티즘은 하나의 철학이며 이를 통해 생각할 거리를 던지지만, 이것이 삶이라는 뼈대를 포장하는 살을 작위적으로 덧댄다는 느낌이 없다. 오히려 뼈대를 깎아내면서 그 안에 무엇이 들었는지 바라보는 절제의 방식을 취하고 있는 것이다.

만약 어떤 남자가 얼마나 완벽하게 아름다운지 동물성과는 거리가 멀
어 보이는 여자를 더 탐낸다면, 그것은 그 여자를 소유할 때 동물적인
더러움이 더해지기 때문이다. 아름다움은 더럽혀지기 위해 욕구 되는
법이다. 아름다운 것에 대한 욕구는 아름다움 자체를 위해서가 아니
라, 그것을 확실히 더럽힌 후에 오는 기쁨을 맛보기 위해서이다.

— 조르주 바타유, 「에로티즘」, 민음사, 166쪽

섹스에 대한
회의감

.

무얼 말해야 하지? 그래 네 가슴을 얘기해야지. 모든 것은 가슴에서 시작된 일이니까. 너의 젖가슴. 한 손안에 오롯이 들어오는 너의 작은 가슴. 하얀 가슴 위쪽에 드러난 푸른 정맥이 장미꽃처럼 보이는 너의 가슴을 얘기해야지.

이거 좀 봐. 장미 꽃잎 같지? 네가 검지손가락 끝으로 그 선들을 따라가며 말했을 때 나는 한 송이 꽃이 네 가슴 위에서 피어나는 것을 보았어.

— 천운영, 「세 번째 유방」 中에서

스킨십. 키스. 섹스. 육체의 결합은 도취적이다. 이 도취는 너무나 추상적이다. 순간의 의미들이 모두 나를 향하고, 내가 그 의미들의 주인공이 된 것 같다. 내 몸의 주인은 상대가 되고, 상대의 몸은 나의 몸처럼 다루어진다. 타자라는 원초적인 벽이 허물어지는 것 같은 순

꼬리뼈 같은 거야. 지금은 없어졌지만 아주 먼 옛날에 존재했었던, 둘 이상의 새끼를 낳았던 시절의 흔적이야

– 천운영, 「세 번째 유방」中에서

간이다. 너와 나의 몸. 우리의 가슴, 유방, 성기는 사실 어느 누구의 것도 아닌 우리의 것이었으니까.

그러나 이것이 유쾌한 일로만 남을 수 있을까. 외로운 밤에 과거의 잠자리를 떠올리는 것은 무척 괴로운 일이다. 섹스가 주는 합일의 경험이 단절감을 극대화시키는 것이다. 그래서 성적 욕구에 매몰되는 것은 마약에 빠져드는 것과도 비슷하다. 누군가는 외로움으로 방황하다가 자위행위를 시도해볼 때도 있을 텐데, 이를 통해 흘리는 물은 정액도, 애액도 아닌 아주 허무한 눈물 같다.

권태의 합리화 –
우디 앨런의 「부부일기」에 대한 단상

잭은 부인과 이혼했다. 이혼을 위해서는 수많은 이유들이 필요했다. 그녀의 까다로운 성격, 다혈질, 취향의 불일치. 이유들을 하나씩 열거하자, 우디 앨런이 말한다. "그걸 아는 데 15년이나 걸렸어?" 위트 있다. 정말 15년의 세월을 보내고서야 그녀의 단점을 알게 되었다는 말인가. 아니면 뒤늦게나마 자신을 정당화시키기 위한 이유를 찾게 된 것일까.

감정은 시간을 이기지 못하고 권태를 맞이하기도 한다. 어떤 이들은 권태를 사랑의 무덤이라고 여기게 되는데, 이를 썩 당당히 여기지 못한다. 감정은 소진된 것 같지만, 상대의 잘못이 없으니 헤어질 이유가 없는 것이다. 이런 경우 스스로를 정당화시키기 위한 세 가지 방법을 찾게 된다. 첫 번째는 자신이 상대보다 부족한 사람이라고 판단 내리는 것, 두 번째는 상대가 내게 부족한 사람이라고 판단 내리는 것.

이 두 가지가 시원치 않으면 둘의 관계에 현미경을 가져다 댄다. 너를 가장 사랑할 때보다 신경을 바짝 세우고, 그녀의 말과 행동 하나

에 집중한다. 이별의 근거를 찾기 위해서다. 세밀하게 들여다보니 사랑스러운 구석은 도무지 찾을 수 없고, 만나야 할 이유도 전혀 없는 것 같다. 이별을 위한 늦은 합리화가 성공하는 중이다. 그러나 현미경은 세밀한 만큼 진실한 것 같지만, 이러한 진실로써 전체의 그림을 왜곡시킬 수 있다. 현미경을 대고 위를 보면, 하늘과 구름이 보일까. 현미경을 대고 그의 얼굴을 보면 정말 그가 보이는지. 작은 주름이나 흉터를 상대의 전부로 판단하게 되는 일은 아쉬운 것이다. 그렇지만 이런 과정을 필요로 하는 사람은 있을 것이고.

낭만적 거짓과 냉소적 진실,
그리고 사랑

우디 앨런이 더욱 좋아진 건 그가 '유머가 철학보다 위대하다'는 식의 대사를 건넸을 때였다. 「애니 홀」이라는 영화에서 나왔던 대사 같은데, 사실 유쾌해서라기보다는 지독한 냉소에 문득 공감했기 때문이다. 들켜버린 기분이었다. 상대에 대해 최대한 많은 부분을 수긍하는 (척하는) 끄덕임과 수시로 미소 짓는 일을 습관화한 게 혐오스럽다는 생각이 들었다. 한 지인은 내가 웃을 때마다 '마치 다 안다는 것처럼 웃지마'라고 이야기했었다.

교양이라는 것은 지식으로 채우는 것이 아니라고 말하는 것, 꼭 책을 읽지 않아도 삶 속에서 교양 있는 태도를 갖추어나갈 수 있다는 것에 동의했다. 끄덕이며 동의했는데, 다 거짓말 같을 때가 있다. 책을 읽든 세상을 읽든, 이를 통해 공부하고 반성하려는 의지가 없으면 틀에 박혀서 너무나 단조로운 사람이 되어버릴 것이라는 생각을 꾹꾹 씹어 삼킨다. 사실 공부하지 않고 반성하지 않아도 된다고 진실로 여긴다면 나부터가 이렇게 강박적으로 책을 보거나 사색하는 시간을 가지지 않을 것이다. 또한 공부하지 않는 사람이 어떤 의견을 적극적이고 거창하게 내세울 때, 속으로 얼마나 진한 냉소를 보냈었나. 그렇지만 조금 씁쓸할 뿐, 미안한 감정을 느끼지 못한다는 것에 굳이 부끄럽다. 부끄러워하는 것도 부끄럽다. 건방지다. 건방진 것 같다.

수많은 거짓 수긍들, 냉소. 누구나 매 순간 변화하고 성장할 것이며, 사람의 본질이 있다면 변화일 것이라고도 생각했다. 이것 역시 거짓 수긍들, 냉소는 아니었나. 특히나 사랑하는 사람에게서 더 이상 새로운 문장을 읽어낼 수 없다는 오만함이 찾아오면, 슬프다. 이 오만함에서 탈출하기가 또 무척 어렵다. 이럴 때 '미시적인 시선'이라는 처방을 내리고는 했다. 거시적인 틀에서 벗어나 구체적인 것들을 바라보는 일. 이것이 아름답다고 하지만, 번데기에서 나비의 독특한 문양을 발견하는 것만큼이나 쉽지 않은 일이다. 혹은 상상을 요구하는 일이기도 하다.

'A는 왜 B를 좋아해?'라고 물어보는 것은 대답하기 참 어려운 질문이 됐다. 그래서 이유를 삭제한다. 이유, 조건들은 언제 어떻게 상실

될 것일지 모르기 때문이다. 모두 책을 손에서 놓지 않았으면 좋겠다. 물론 그 책이 어떤 책이든 상관없는 건 아니다. 내가 참 꼴사납다.

자위가 대체 어떻다는 거야? 자신이 진짜 사랑하는
사람과 섹스하는 거잖아.

– 영화 「애니홀」 中에서

즐거운 나의 집과
빈 집

사랑을 잃고 나는 쓰네

잘 있거라, 짧았던 밤들아

창 밖을 떠돌던 겨울안개들아

아무것도 모르던 촛불들아, 잘 있거라

공포를 기다리던 흰 종이들아

망설임을 대신하던 눈물들아

잘 있거라, 더 이상 내 것이 아닌 열망들아

장님처럼 나 이제 더듬거리며 문을 잠그네

가엾은 내 사랑 빈 집에 갇혔네

– 기형도, 「빈 집」

우리는 집 밖으로 나서지만, 그 길은 곧 집으로 돌아오는 길이 된
다. 결국 집을 벗어나도 우리는 계속 집으로 가는 중인 것이다. 전시

「즐거운 나의 집」은 우리 집 구석구석의 의미를 되새기게 한다. 집을 되새긴다는 것은, 집을 잊었다는 것이기도 하다. 가장 가깝고, 밀접한 대상일수록 간과하기도 쉽기 때문이다. 불필요한 물건들, 책, 종이, 쓰레기가 쌓여가는 집. 그렇지만 그 모든 것이 나의 시간을 담고 있는 집. 그 모든 것을 묵묵하게 받아들이는 나의 집은 얼마나 너그러운 공간인가.

'집'이라고 하니, 기형도의 「빈 집」에 대해 생각해보게 되었다. 사랑을 잃은 화자는 '잘 있거라'하며 밤과 겨울안개, 촛불들도, 흰 종이들도, 망설임도, 눈물도, 내 것이 아닌 열망들도, 모두 보내는데 가엾은 내 사랑만은 빈 집에 갇힌다. 「빈 집」의 한 줄기로 사랑을 이야기하다 보면 참 절묘한 시라는 것을 느끼게 된다. 오래된 연인은 내 집 같다. 만남을 지속하다 보면 기쁨도 슬픔도, 흥미로움도, 시시콜콜함까지도 그에게 두고 오게 된다. 연인은 아주 오래된 집, 방구석 같은 것이다. 초등학교 개근상, 사용하지 않는 장식품, 시계, 각종 골동품들이 방구석에 박혀있듯, 더 이상 사용하지 않는 나의 추억들도 그녀에게 있다.

상대가 떠난다면 어떻게 되는가. '잘 가거라'가 될 것 같지만, '잘 있거라'가 되는 것이다. 그가 떠나도, 관계의 집은 그대로 있다. 쓸모없어진 오래된 물건도 기억만 남기고 그 자리를 지키듯이, 사랑이 끝나도 나의 이야기는 지금 이 자리에 그대로 남아있는 것이다. 그리고 가없은 내 사랑은 빈 집에 갇힐 것이다. 그렇다면 '빈 집'은 무엇인가. 아무도 없는 집? 그것보다는 내가 있을지라도, 네가 없다면 빈 집인 것이다. 내가 사랑해도 네가 사랑하지 않으면 빈 사랑으로 느껴지는 것처럼.

사랑을 잃고 나는 쓰네 / 가엾은 내 사랑 빈 집에 갇혔네

이별을 견디는
이유는

    당신은 내 주변을 온통 사랑의 세계로 만듭니다. 동네, 즐겨가던 음식점, 거리, 이 모든 것들에 당신이 알알이 박혀있어서 당신 아닌 것이 없어요. 영화 「러브픽션」에서 그들이 사랑하다 못해 '방울방울'했던 것처럼, 관계의 시간 동안 만들어낸 은어들, 애칭, 유머들은 고유한 우리만의 세계를 만들었지요. 이 모든 것이 보편적인, 보통의 연애로부터 벗어나기 위한 것들이었겠는데, 결국 '우리만'의 연애, 나아가 특수한 세계가 만들어졌어요. 물론 이 세계는 당신과 나만 아는 것이고요.

    그런데 당신이 떠나면서 우리의 세계도 함께 사라져야 하는데, 남아있어요. 당신만 빠져나간 것이 너무나 괴롭습니다. 물리적으로 존재했던 것 같은 세계가, 내 안의 정신적인 세계였다는 것을 뒤늦게 알았습니다. 나만 남았습니다. 고통스럽지만 이 시간이야말로 홀로 있는 '나'를 확인할 수 있는 시간이겠지요. 실연은 고유한 존재로서의 나를 성찰할 수 있는 기회를 주었습니다. 말이야 쉽지요. 깊은 외로움과 감정적 허기짐. 내가 밑 빠진 독 같아요. 하지만 여기서 홀로 서는

너는 내가 널 왜 좋아하는지 궁금하지 않아?

궁금해. 근데 이유를 듣고 싶진 않아.
내가 상상하는 게 더 좋아.
자기가 무슨 이유를 대든 그건 일시적인 거구
우리가 만약 헤어지게 되더라두 자기를 거짓말쟁이로
만들고 싶진 않거든.

　　　　　　　　　　　　　　– 영화 「러브픽션」 中에서

법을 알아야겠습니다. 그렇지 못하면 앞으로의 사랑도 독 밑으로 줄
줄 새어나갈 것 같으니까요.

봄날이 가도
봄날의 기억은 남았지

"어떻게 사랑이 변하니?"

그렇게 말했지만, 사랑은 변한다는 것을 알아. 우리 주변에 변하는 것이 사랑뿐이겠어? 너무나 무수한 것들이 변하고 있는데, 사랑도 마찬가지겠지. 변한다는 것을 모르는 사람은 없어. 다만 모든 것이 변한다는 사실이 나를 불안하게 해. 이 불안 속에서 나는 '사랑'을 확신하면서 기댈 수 있었고, 행복했어. 그러나 이 확신은 얼마 못 갔지. 너와 헤어지면서 우리가 삶에서 확신할 수 있는 것은 오직 '어떤 것의 죽음' 밖에 없다는 것을 알았어.

돌아오는 널 왜 막았냐고?

아름다운 순간이 무너지는 것이 힘들었어. 그래서 우리의 사랑을 과거에 박제시킨 거지. 사랑의 죽음을 인정하면 적어도 그 형체는 고스란히 남을 것 같았거든. 이것이 너와 나의 고유한 사랑을 사랑하기 위한 방법이야. 사실 지금도 많이 보고 싶어. 네가 너무 보고 싶어서

"어떻게 사랑이 변하니?"

– 영화「봄날은 간다」中에서

강릉까지 택시를 타고 갔고, 한껏 끌어안은 적이 있었지. 아름다웠어. 아름다웠던 만큼 우리 사랑이 변할 수밖에 없다는 것이 너무 힘들어.

슬퍼하지 마. 우리의 봄날은 갔지만, 봄날의 기억은 고스란히 남았잖아. 헤어지는 것은 사랑을 사랑하기 위한 방법이니까.

구성하는
기억

원래부터라는 것은 엄밀히 말하면 없어.

나를 낱낱이 떼어보면 원래부터 내 것이었던 것이 얼마나 있었는가 싶다. 나는 누구인가. 내가 원하는 것은 뭐지. 스스로에 대한 질문들로 자기 자신에게만 골몰하다가는 갑갑증이 일어나기 마련이다.

사실 나의 많은 부분은 타인들이 조각조각 붙여놓은 것이다. 이 조각들 중에 강렬한 색을 내는 것은 연애의 기억이다. 연애의 진절머리 나는 순간들 안에서, 내 자신이 밑바닥을 치다보면 그나마 티끌처럼 있던 '원래의 내 모습'도 종종 만날 수 있다. 바닥을 탁! 칠 때까지 점잖은 사람이 얼마나 있을까. 나는 꽤나 비열하고 치사한 놈이었던 것 같다. 이리 보면 사람은 참 콜라주 같은 구성인데, 한 사람 한 사람은 꽤나 멀쩡해 보인다.

'정말 좋아합니다. 이번엔 거짓이 아니라구요.'

만화 「슬램덩크」에서 강백호가 채소연에게 고백하는 대사다. 이 고백은 그녀에 대한 고백이기도 하지만, 농구에 대한 고백이기도 하다. 사랑하는 상대는 세상을 들여다보는 렌즈가 된다. 이는 너무 사랑스러운 렌즈라서 세상 모든 것이 사랑스러워지겠지. 강백호가 채소연을 좋아하는 감정에서 출발한 것이 그녀가 좋아하는 스포츠인 농구까지 진심으로 사랑하게 되는 것처럼, 사랑에 혹독하게 빠진 사람은 상대의 주변까지 사랑하게 된다.

그러나 이 혹독한 빠짐을 통해 우리는 얼마나 뼈아프고 두려운 일을 예견하곤 하는가. 타인이 구성한 내 조각의 형태가 모두 선하고 아름답기만 한 것은 아니다. 지우고 싶은 후회와 흉터들도 모두 꾸역꾸역 자리를 잡으려 하니까. 글을 쓰다가 무심코 손끝의 살점을 물어뜯을 때, 이게 원래 나의 습관이었던 것인지 문득 의심이 들면 생각이 많아지고 마음이 차가워진다. 그럼에도 혹독한 사랑을 통해 사랑하게 된 것들이 너무 많다.

주변을 둘러보면 참 사랑스럽고 애틋한 마음이 들면서도, 눈꼬리는 처질 때가 있다. 웃으면서 울 수 있는 이상한 방법을 알게 되었다.

'정말 좋아합니다. 이번엔 거짓이 아니라구요.'

– 만화 『슬램덩크』 中에서

사랑과
착란

실연의 강렬함은 지친 합리화를 낳는다. 과거의 연인은 좋은 사람에서 나쁜 사람을 오가며 반복적으로 변화하고, 추억도 필요한 것들만 남아 조작된다. 이렇게 변덕스러울 때가 없다. 상대가 사라졌으니, 상상 속에 그를 두고 자신의 회복을 위한 드라마를 만들어내야 한다. 이 현상에서 벗어나지 못할 때는 착란의 증세까지 나아간다. 끊임없는 혼잣말과 아무런 교감 없는 공상. 착란은 정신병이지만, 정신병이지 않기 위한 일종의 위로를 닮았다.

영화 「블루 재스민」의 재스민이 겪는 증상이 바로 착란이다. 그럼에도 그녀를 병자로 단언하고 싶지 않은 것은, 착란이 고통스러운 현실을 그나마 살만한 가상으로 바꾸어놓기 때문이다. 착각이 현실이되고, 믿는 것이 존재하는 세계. 타인 없이 대화하는 방법. 적어도 그녀의 세계에서는 우리가 미친 것이다. 사랑은 이렇게 입구에서부터 출구를 벗어난 길까지 우리의 세계를 뒤집어놓고 간다. 얼마나 허술한가. 사람도, 흔적도 이기지 못할 뿐더러 그 간절했던 감정이 시간도 이기지 못해 무뎌지니.

난 그 가사를 알고 있었어요. 그 가사를 알고 있었는데…
이젠, 기억이 잘 안 나네요

– 영화 「블루 재스민」 中에서

그녀(Her)

「Her」는 감정을 한껏 풋풋하게 끌고 가다가 일순간에 무너뜨리기도 하는, 관객을 쥐락펴락하는 연출력으로 팽팽하게 채워진 영화입니다. 보는 내내 긴장감을 놓칠 수 없고, 영화의 마지막 샷이 까맣게 채워질 때면 가슴도 아찔하게 미어져 갑니다. 컴퓨터 프로그램과 사랑에 빠진다는 독특한 설정과 스파이크 존스 감독 특유의 감각을 고려하면, 이 영화가 묘하면서도 조금은 난해할 수도 있다는 가능성을 염두에 두게 합니다. 예상이 빗나갔습니다.

「Her」는 사랑에 관한 너무나 당연한 이야기를 쉽고 쿨하게 건네고 있습니다. 하지만 사랑하는 이와의 관계 속에서 우리는 이 이야기를 쿨하게 건네지 못합니다. 이 이야기는 무엇일까요. 이것은 나와 당신들이 가진 과거의 사랑에 관한 이야기입니다. 사랑과 연애를 경험했던 사람이 현재의 상대 그 자체만을 고유하게 사랑한다는 것이 가능할까요. 과거에 떠나보냈던 연인들, 혹은 짝사랑만 하고 보냈던 그 사람들을 완전히 떠나보낼 수 없습니다. 과거는 쉽게 벗길 수 없는 각막처럼 남아서 이를 투과하지 않고는 현재를 보는 일이 참 어려운 것

같습니다. 이는 이성적으로 통제할 수 없는 흐름 같은 것이라 생각합
니다.

　우리는 이 이야기를 쿨하게 건네기가 어렵습니다. 사랑은 늘 일대
일의 방식이어야 하니까요. 하지만 당신의 외모나 성품에서 조금이라
도 옛 연인과 닮은 조각을 발견한다면, 내가 당신을 사랑하고 있는
만큼 그들의 조각들도 여전히 사랑하고 있는 것입니다. 물론 당신은
그들과 다른 유일한 사람이지요. 극 중 테오도르가 자신과 이혼한 캐
서린을 영원한 친구로 삼으며 사랑한다고 고백하는 것, 사만다가 한
사람만을 사랑하지 않으면서도 테오도르를 사랑할 수 있는 것, 그리
고 내가 너를, 혹은 네가 나를 떠나는 일. 결국 그들은 수많은 사람
들이 남긴 흔적에 빚진 자신의 모습을 인정합니다. 그럼에도 연인이
라면 서로가 이에 대해 쿨해지기는 어렵지요. 그래서 영화 「Her」를 또
다시 보고 곱씹고 싶은 것 아닐까요. 적어도 영화는 현실을 벗어나
자유롭게 이야기할 수 있으니까요.

사랑한다는 말은 저항

'왜 사랑해?'라고 묻는다면
난 대답하지 않고 너와 내가 함께했던
소소한 순간을 함께 되새기며 나누자고
권유하거나, 편지를 쓰겠어. 그러고 나면
설명할 길이 없다는 것을 알고
또 설명하지 않아도 되지만
너무나 풍부하다는 것을 알게 되겠지.

섹스,
사랑의 역설

남성의 성 기능의 절정은 준다는 데 있다. 남성은 자기 자신을, 자신의 성기를 여자에게 준다. 오르가슴의 순간에 남자는 정액을 여자에게 준다. 그는 능력이 있는 한, 정액을 주지 않고는 견디지 못한다. 만일 줄 수 없다면 그는 성적 불능자이다.

여자의 경우, 비록 약간 더 복잡하기는 하지만, 사정은 다르지 않다. 여자도 자기 자신을 준다. 여자는 그녀의 여성으로서의 중심을 향해 문을 열어준다. 받아들이는 행위에서 그녀는 주고 있는 것이다.

– 에리히 프롬, 『사랑의 기술』, 문예출판사, 41쪽

사랑을 주는 행위가 '희생'인가? 여기서 희생은 무엇을 말하는가. 손해를 감수하면서도 내 것을 떼어내 주는 것, 혹은 자의적으로 빼앗기는 것? 아닐 것이다. 사랑을 줌으로써 우리는 제3의 것을 생산한다. 이는 육체적 관계인 섹스의 과정에서도 고스란히 드러난다. 흔히 섹스를 묘사할 때 남자는 주고, 여자는 받는다며 기능적인 행위의 관점으로 바라보는데 그렇지 않다. 그는 자신의 성기와 정액을 내어주며, 그녀 역시 이를 받아들이기 위해 열어'주고' 그를 따뜻하게 덮어'준다'. 섹스를 통해 우리는 제3의 쾌락을 발생시키고 나누며, 정신적으로는 신뢰감을 건네고 있다. 육체뿐만 아니라 서로의 믿음을 투척함으로써, 정신의 고양을 생산하게 되는 것이다. 이처럼 섹스는 '생산적 희생'이라는 사랑의 역설을 어렴풋이 드러낸다.

성 기능의 절정은 준다는 데 있다.

고마워

사랑은 사람에게 적극적으로 침투하는 것이고, 이러한 침투를 통해 알려고 하는 나의 욕망은 합일에 의해 만족을 얻는다. 융합하는 행위를 통해 나는 당신을 알고 나 자신을 알고 모든 사람을 안다-그리고 나는 아무것도 '알지' 못한다. 나는 오직 한 가지 방법에 의해서만 인간에 대한 살아 있는 지식을 얻을 수 있다는 것을 알고 있다. 우리의 사고(思考)가 제시하는 지식에 의해서가 아니라 합일의 경험에 의해서만 알 수 있다는 것을.

- 에리히 프롬, 『사랑의 기술』, 문예출판사, 50쪽

너는 타인이면서 무한한 세계야. 심리학이나 의학, 뇌과학도 너를 완전히 알게 하지 못하지. 결국 너에 대해 아무것도 모를 것 같지만, 너를 어렴풋이 혹은, 확실히 알게 되는 순간이 있단다. 너를 사랑한다는 것을 알아차릴 때지. 물론 이 '앎'은 나만의 것일 수도 있어. 그러나 나만의 것이어도 상관은 없어. 너 역시 너만의 '앎'으로써 나를 사랑한다고 '선언'하면 그것으로도 충분하니까.

너와 분리되었을 때는 내가 나약하고 볼품없는 사람인 것 같지만, 함께 할 때면 내가 아주 충만해져서 우주 만물을 사랑할 수 있을 것만 같았어. 그럼에도 우리는 홀로 설 줄도 알아야겠지? 또한 고독은 인간에게 아주 본질적으로 주어졌다는 것도 인정해야겠지. 사랑과 고독은 이렇게 엉키어 떨어질 수 없다는 것을 알아서, 늘 수고가 많아. 고마워.

융합하는 행위를 통해 나는 당신을 알고 나 자신을 알고
모든 사람을 안다.

외로움을
어떻게 할 것인가

그러므로 인간의 가장 절실한 욕구는 이러한 분리 상태를 극복해서 고독이라는 감옥을 떠나려는 욕구이다. 이 목적의 실현에 '절대적으로' 실패할 때 광기가 생긴다. 우리는 외부 세계로부터 철저하게 물러남으로써 분리감이 사라질 때에 완전한 고립의 공포를 극복할 수 있기 때문이다. 이때는 인간이 분리되어 있던 외부 세계도 사라져버린다.

— 에리히 프롬, 『사랑의 기술』, 문예출판사, 25~26쪽

외로움은 원초적인 분리불안의 정서다. 우리의 원초적 분리불안은 성서에 적힌 아담과 이브의 이야기처럼, 문화적으로 아주 오래된 것이다. 외로움은 굉장히 강렬한 것이어서 누군가는 이를 완전히 외면하거나 혹은 탈출하려 한다. 그러나 결핍을 충족시키고자 하는 욕망은 본성에 가까운 것인데 어떻게 벗어날 수 있겠는가. 이 순간 많은 이들이 사랑을 외로움의 도피처로 택한다.

사랑은 삶의 본질적 불안을 완화시키는 위대한 요소지만, 외로움으로부터의 외면과 탈출을 목적으로 시작된 사랑은 끝없는 의존과 피로를 낳는다. 그래서 우리는 홀로 서야 하지만, 또 선 채로 상대에게 의존해야 한다. 모순적이지만 그렇다.

의존은 생산적 의존과 독점적 의존으로 나눌 수 있다. 생산적 의존은 대화와 소통을 통해 서로에게 의지함으로써 사랑의 생명력을 드러내지만, 독점적 의존은 집착과 폭력(그것이 꼭 물리적 폭력이 아니더라도)을 통해 일방적으로 행사되며 결국 관계를 폐허로 끌고 간다. 전

인간의 가장 절실한 욕구는 이러한 분리 상태를 극복해
서 고독이라는 감옥을 떠나려는 욕구이다.

자는 외로움을 받아들이는 것으로부터 발현되고, 후자는 외로움을
회피하는 것으로부터 시작된다.

사랑이 상실감을
안기는 때까지

소유하는 것을, 점점 더 많이 소유하는 것을 지상목표로 하는 사회, 그리고 사람에 대해서도 "백만 달러의 가치가 있다"고 말하는 사회 속에서 소유하는 것과 존재하는 것 사이에 어찌 양자택일이 있을 수 있겠는가? 오히려 존재의 본질이 바로 소유하는 것에 있어서, 아무것도 소유하지 못한 사람은 아무것도 아닌 존재로 여겨지는 실정이다.

- 에리히 프롬, 『소유냐 존재냐』, 까치, 33쪽

왜 들에 핀 꽃을 꺾는가? 꽃의 아름다움을 소유하기 위해서일 것이다. 한편으로 우리는 아름다움이라는 관념을 소유할 수 없다는 것을 안다. 그러나 그저 바라만 봐도 존재 그 자체로 아름다운 것을, 기어코 꺾어 죽이고 만다. 사랑도 그렇다. 우리는 타자의 삶을 소유할 수 없다는 것을 알고 있음에도 상대의 일거수일투족을 확인하고, 존재적 의미까지 소유하려 든다. 병적인 집착의 끝에는 파국이 기다리고 있다. 한쪽이 집착에 응해주면 문제없을 것이라고? 의존과 지배라는 질병은 타인이 사라지는 순간, 자아의 상실이라는 더 큰 치명상을 안긴다. 이로써 그는 정신적 죽음을 맞이하게 된다.

의존과 지배라는 질병은 타인이 사라지는 순간, 자아의
상실이라는 더 큰 치명상을 안긴다.

사랑한다는 말은
저항

만약 사랑(플라톤적 의미에서의)의 이데아가 실제 사랑의 체험보다 더 실재성을 지닌다면, 물론 이데아로서의 사랑이 불변 및 항존한다고 말할 수도 있을 것이다. 그렇지만 살아 있는 인간의 현실, 그의 사랑과 미움, 고뇌로부터 본다면 동시에 생성과정과 변화를 겪지 않는 존재란 하나도 없다. 생명이 있는 유기체는 생성을 겪는 한에서만 존재할 수 있으며, 변화하는 한에서만 실존할 수 있다. 생장과 변화는 삶의 과정에 내재한 특성인 것이다.

– 에리히 프롬, 『소유냐 존재냐』, 까치, 47쪽

사랑한다는 말을 던지는 것은 저항 같아. 너의 존재적 의미와 내 감정의 격동을 설명할 길이 없어서 툭 던지는 말이지. 너도 알 듯 사랑에는 수많은 과정이 있지. 합일의 충만함, 공감, 이해, 배려, 심지어 분노나 미움, 증오까지도. 이것을 일일이 해명할 수 없으니 너도나도, 사랑한다는 신뢰의 말을 던지는 것이겠지.

'사랑의 실체'라고 하면 아름다운 말 같아서, 수많은 연인들이 막연히 그 실체를 찾으려 하고 상대에게 묻지만, 결국 이데아나 신을 이성적으로 증명해 보이라는 것처럼 미련한 행위였다는 것을 금방 알아차릴 거야. 넌 날 사랑하니, 라고 물을 때 응 사랑해, 라고 대답할 수밖에 없는 것처럼 그저 사랑을 최후의 감정적 근거로 믿는 것이겠지.

'왜 사랑해?'라고 묻는다면 난 대답하지 않고 너와 내가 함께했던 소소한 순간을 함께 되새기며 나누자고 권유하거나, 편지를 쓰겠어. 그러고 나면 설명할 길이 없다는 것을 알고, 또 설명하지 않아도 되지만 너무나 풍부하다는 것을 알게 되겠지.

생명이 있는 유기체는 생성을 겪는 한에서만 존재할 수
있으며, 변화하는 한에서만 실존할 수 있다.

사랑하지
못하는 이유

우선 대부분의 사람들은 사랑의 문제를 '사랑하는', 곧 사랑할 줄 아는 능력의 문제가 아니라 오히려 '사랑받는' 문제로 생각한다. 그들에게 사랑의 문제는 어떻게 하면 사랑받을 수 있는가, 어떻게 하면 사랑스러워지는가 하는 문제이다. 그들이 이 목적을 추구하는 몇 가지 방법이 있다. 남자들이 특히 애용하는 방법은 성공해서 자신의 지위의 사회적 한계가 허용하는 한 권력을 장악하고 돈을 모으는 것이다. 그리고 특히 여성이 애용하는 또 한 가지 방법은 몸을 가꾸고 치장을 하는 등 매력을 갖추는 것이다.

– 에리히 프롬, 『사랑의 기술』, 문예출판사, 13~14쪽

많은 이들이 '사랑하지' 못하는 이유를 '사랑받지' 못해서라고 단정한다. 나는 올바르고 (심지어 쿨하기까지 한) 연애관을 가졌으며 매력이 충분하나, 이를 알아보는 사람이 없을 뿐이라는 태도다. 특히 그들은 자신을 공감해주는 친구를 만날 때면 연애칼럼니스트, 나아가서는 거의 정신분석학자가 된다. 타인들의 연애를 요란할 정도로 분석하고 비판하며, 대안까지 제시한다. 그리고 마지막에는 자신의 무결함과 매력을 논하며, 다시 사랑받지 못하는 것에 대한 회의와 합리에 빠진다.

사랑을 주는 일을 먼저 생각하지 못하는 이가 어떻게 사랑스러워질 수 있을 것인가. 사랑을 받는 것에 전적으로 집착하는 이는, 사랑을 '복종'의 관계나 '지배'의 관계로 변질시킨다. 물론 사랑은 주고받는 행위를 자연스레 동반한다. 그러나 복종이나 지배의 단계까지 나아간 괴기스런 사랑을 애호하는 이는, 연인을 액세서리로 만들거나 그녀를 위한 액세서리가 된다. 즉, 사랑이라고 여기는 모든 것이 자신의 외형적인 품격에 기여하는 수단이 되는 것이다.

대부분의 사람들은 사랑의 문제를 '사랑하는', 곧 사랑할 줄 아는 능력의 문제가 아니라 오히려 '사랑받는' 문제로 생각한다.

연인은 누구와
다투고 있는가

근대 자본주의는 원활하게 집단적으로 협력하는 사람들, 더욱 많이 소비하는 사람들, 그 취미가 표준화되고 쉽게 영향받고 예측할 수 있는 사람들을 필요로 한다. 근대 자본주의는 권위나 원리, 또는 양심에 종속되지 않고 자유롭고 독립되어 있다고 느끼는 사람들, 그러면서도 즐거이 명령에 따르고 그들에게 기대되는 일을 하고 마찰 없이 사회 기구에 순응하는 사람들, 폭력 없이 관리되고 지도자 없이 인도되고 목적 없이 ─ 좋은 것을 만들어내고 계속 움직이고 기능을 다하고 곧바로 나간다는 목적 이외에는 ─ 움직일 수 있는 사람들을 필요로 한다.

─ 에리히 프롬, 『사랑의 기술』, 문예출판사, 119~120쪽

때로 그들은 자신의 연인이 아닌, 미디어가 복제한 견해들과 다퉈야 한다. 그가 어떤 연예인의 발언이나 행동, SNS에서 오가는 문구들을 자신의 의견인 것처럼 내세우거나 근거로 채택하기 때문이다. 얼마나 간편한가. 지금 이 시간에도 TV 프로그램이나 드라마, 각종 커뮤니티는 사랑에 대한 담론을 쉴 새 없이 내놓지만, 불합리한 관습이나 애착들을 교묘하게 합리화함으로써 사랑을 결정론적인 문제로 둔갑시키는 경우가 많다.

이를 답습하는 우리의 모습은 어떠한가. 누군가 나 대신 의견을 만들어주고 이에 쉽게 순응하다 보니, 스스로 사유하는 일이 피로해진다. 미디어의 산만함은 끊임없이 이야깃거리를 제공하지만, 이로 인해 지금, 여기, 우리에게 집중하는 일이 얼마나 힘겨워졌는가. 왜 무엇인가 끌어오지 않으면 자신의 말을 할 수 없게 됐는가. 자신의 언어가 사라진 환경을 딛고 스스로 생각해야 한다. 이 과정으로부터 나온 것들은 엉터리일 수도 있고 쉽게 무너질 수도 있으며 누군가의 의견과 유사할 수도 있으나, 비겁하지는 않다. 사랑은 우선 '우리'의 사적문제다.

근대 자본주의는 원활하게 집단적으로 협력하는 사람들,
더욱 많이 소비하는 사람들, 그 취미가 표준화되고 쉽게
영향받고 예측할 수 있는 사람들을 필요로 한다.

사랑도 결국,
나의 프레임

사랑에 있어서 자기객관화가 필요한 것도
삶과 예술에 있어서와 크게 다르지 않다.
어색한 '둘'의 사이에서 친밀한 '우리'가 되어
관계의 틀을 꽉 채워가기 시작하면
매혹적이면서도 고통스러운
주관이 탄생하기 때문이다.
이를 숭고하게 표현하면 '합일'이라 할 수 있으며, 이는
너와 내가 함께하는
'자아도취'와 크게 다르지 않다.

첫인상

첫인상은 풍경이다. 아무것도 모른 채로 처음 만난 풍경 같은 것이다. 첫인상은 설렘, 불쾌감 등 감정의 공명을 불러오는데, 매우 짧고 강렬하다. 내가 있는 곳의 풍경을 인식하고, 그 안에 오래 살면 익숙함이 온다. 처음의 감흥이 사그라진다는 측면에서 보면 이 익숙함은 상당히 지루한 것이다.

사람의 매력도 모를 때 더 빛이 난다. 매력은 알아가는 그 과정에서 훨씬 더 유효하다. 진행형의 매력이 흥미롭다. '너는 이런 매력을 가진 사람이야'라고 말하는 순간, 상대는 고정이 되고 의외성이 사라진다. 새어나오는 일각의 매력만이 매력적이다.

그렇다면 열정적 사랑의 지속을 위한 의도적인 망각은 꽤 유용할 것 같다. 불가능한 이야기 같지만, '사랑의 온도를 유지하기 위해서 오늘 나는, 어제의 너를 어느 정도 잊고 내일의 너를 만나겠다'라는 마음가짐.

　어디까지나 실천하기 어려운 소설 같은 이야기다. 언제나 연애에 대한 최후의 열정은 애송이처럼 권태 속에서 돌파하던 것이었으니까, 혹시나 생각해본 것이다.

실연이 낳은
신앙

　니체는 『차라투스트라』에서 신앙으로 인해 머저리처럼 변해가는 사람들을 문학적으로 조롱했지요. 신이 죽은 세상에서, 동물이라도 숭배하며 신앙을 붙잡는 사람들을 보며 저 역시 차라투스트라와 함께 냉소를 띄우곤 했습니다. 신이 사라진 세상에 그들이 붙잡은 '신앙'이 어찌나 가소로워 보였던지.

　그러던 어느 날, 제게도 신앙이 있다는 것을 발견하고서는 낯이 뜨거워졌습니다. 당시 제 자신이 꽤나 합리적이고 과학적이라는 착각을 부여잡고 살았던 모양입니다. 신앙은 '신에 대한 믿음'이 아닙니다. 믿을 '신', 우러를 '앙'. 믿고 우러른다는 뜻으로, 한없이 깊은 믿음을 상징하지요. 그렇다면 저는 어디서 신앙을 발견한 것일까요.

　실연입니다. 현실을 받아들이지 못하는 제 자신에게 아주 강렬한 신앙을 끌어내더군요. 아직 우리의 관계가 끝나지 않았다는 믿음, 떠나간 상대가 반드시 돌아올 것이라는 믿음. 이 믿음은 일종의 부적응이나 착란 같지요. 비틀어진 믿음은 때로 더 큰 상처를 남기기도 하

지만, 그 당시를 살아가는 최소한의 원동력이 됩니다. 무뎌질 때까지 버티다, 믿음과 함께 고통도, 사랑의 열망도 사라지는 것이지요.

신이 사라진 세상에서 동물을 숭배하는 그들이 정말 바보였을까요.

사랑과
자유

　월요일이다. 많은 사람들이 사무실을 박차고 나가고 싶은 때일 것이다. 노동이 싫어서일까. 아니다. 노동 자체는 자유와 상관없다. 자신의 존재를 풍부하게 하는 '자발적 노동'은 신성하며, 쾌락도 느낄 수 있다. 다만 돈을 벌기 위한 어쩔 수 없는 노동, 강제성이 있는 노동의 지긋한 굴레에서 벗어나고 싶은 것이다. 이처럼 우리에게는 자신을 속박하는 것으로부터 벗어나려는 욕망이 있다. 많은 사람들이 '벗어난다'라는 말을 흔히 '자유'라는 개념과 통용하는데, 과연 인간이 자유를 추구하는 것일까?

　사랑을 예로 보자. 사랑이 자유로운가? 어떻게 보면 사랑은 개인을 속박한다. 물론 사랑 그 자체는 속박과 아무런 상관이 없다. 그러나 윤리, 도덕, 관습, 제도 등과 연결된 통칭 '사랑' 혹은 '연인 관계'는 개인을 속박하는 면이 있다. 타인과 한 길을 걷다 보니 속도를 맞춰야 하고 샛길로 함부로 빠질 수도 없다 보니 때로는 불편한 것이다. 사무실은 박차고 나가고 싶어 하면서도 사랑에는 뛰어들고 싶어 하니, 어쩌면 우리는 자유를 피하려는 것이 아닐까.

그러나 사랑은 자유를 느끼게 한다. 사랑을 통해 겪는 '믿음', '나눔', '감동' 등 둘의 고유한 경험이 세계의 부조리와 불안감으로부터 정신적 해방감을 선사하기 때문이다. 삶의 책임을 둘이 함께 나눈다는 것, 나아가 부조리를 극복할 수 있을 것 같은 고양감까지. 이처럼 사랑은 때때로 고독을 흔들어 마취시키고, 한 발 더 앞의 삶으로 나아가는 힘을 준다.

자유는 매우 어렵고, 고독한 과정을 동반한다. 속세의 인간에게 완전한 자유가 가능할까. 자유로운 사람은 그만큼 강인하다. 어떤 스님이 이르길 어떤 것도 가지지 않아야 자유가 완성된다. 소비·소유의 사회에서 어떤 것도 가지지 않는다는 것은 참으로 막막하지만, '무소유'가 자유의 원칙임은 상상해볼 수 있다. 사랑에 '무소유'의 원칙을 적용하면 어떨까. 인간은 소유할 수 없는 존재라고 인식하기 위해 노력하고, 행동하는 것. 그리고 나의 사랑스러운 연인 역시 소유할 수 없는 인간이라는 것.

우리 모두는
연애전문가

상대의 단점을 지적하는 것은 그리 어려운 일이 아니다. 연인의 모난 점이나 흉볼 구석을 하나하나 명쾌히 찾아내는 모습들을 보면 연애하는 대부분의 사람들이 나름대로 연애전문가 같다. 어찌 보면 연애의 방식에도 장르가 있으며, 모두들 자기 장르에서는 꽤 통달했다고 판단하는 모양이다. 정말 우리는 연애전문가일까?

개인마다 보는 것, 보이는 것이 다를 뿐이다. 타고난 성향이나 자라온 환경, 각자가 경험한 문화적 차이들은 각자에게 색안경을 씌우기 때문에 자신만의 프레임에서 잘 보이는 것들이 생기기 마련이다. 삶의 양태를 경우의 수로 따지면 비슷한 삶이 얼마나 있겠으며, 서로 잘 맞는 사람이 얼마나 있겠는가. 완성도의 차이를 따질 수는 있으나, 코미디 영화와 호러 영화를 비교해서 장르비평을 시도하는 게 엉터리라는 것은 누구나 쉽게 알아챌 것이다.

사랑의 미묘함은 타인을 통해 자신을 알게 된다는 데 있다. 특히 연인 간 승부가 나지 않는 다툼을 하다 보면 각자 입장에서는 잘못한 것이 없어서 반론에 재반론이 거듭되는 체력전으로 번지게 된다. 이 과정에서 연인은 내가 더 이상 물러날 수 없는 최후의 반론, 그 밑바닥까지 인도해준다. 이 지루한 굴레에서 벗어나는 방법은 무엇일까. 밑바닥에서 자신의 모습을 들여다보는 것이다. 이 지점의 사랑은 우리에게 인문적 경험을 선사한다.

사랑의 과정에서
자기객관화

자기객관화는 필수적으로 가져야 할 삶의 태도라고 생각한다. 이 개념은 성찰, 반성, 타인의 입장에서 생각하기 등 다양한 것을 포함하고 있다. 주로 창작활동에 필요한 태도 같지만, 곰곰이 따져보면 우리는 매 순간 창작하지 않은 적이 없다.

삶 자체가 창작활동이기 때문이다. 오늘과 내일의 내가 다른 것, 인간관계를 맺는 과정, 정치, 목적 달성, 그리고 타인과 사랑을 나누는 방식 등 모두 삶의 자연스러운 부분이면서 무엇인가 만들어내는 창작의 과정이다.

창작의 과정에서 자기객관화 과정이 없다면 어떤 상황이 발생하는가. 과잉된 자아가 무분별하게 증식할 것이다. 물론 자아도취의 상황이 그를 천재로 만들기도 하겠지만, 이는 예술의 경우에서나 반길 만한 일이다. 정치나 인간관계에서 자아도취가 지대한 영향을 미치면 타인과 세계 전체를 거대한 위태로움으로 몰고 갈 수 있다. 적당한 예로는 히틀러가 있다.

사랑에 있어서 자기객관화가 필요한 것도 삶과 예술에 있어서와 크게 다르지 않다. 어색한 '둘'의 사이에서 친밀한 '우리'가 되어 관계의 틀을 꽉 채워가기 시작하면 매혹적이면서도 고통스러운 주관이 탄생하기 때문이다. 이를 숭고하게 표현하면 '합일'이라 할 수 있으며, 이는 너와 내가 함께하는 '자아도취'와 크게 다르지 않다.

하지만 관계의 자아도취가 사랑을 더욱 아름답게 만드는 것도 사실이다. 이 상황은 비장하기까지 하다. 우리의 사랑 이외에는 어떤 것도 우선순위가 될 수 없기 때문이다.

그러나 결국 연인을 이루는 것도 타인들. 이 우선순위가 결국 '우리'에서 '둘'로 나뉘어 '각자'가 된다는 것은 비극의 시발점이 된다. 즉, 네가 나의 우선순위가 되는 것이 아니라, 내가 너의 우선순위가 돼야 하는 것. 합일의 자아도취가 분리를 겪어 자신만의 자아도취가 되는 순간이다. 이 순간에는 사랑의 프레임도 둘로 갈라지고, 각자의 억측과 오해가 관계의 주를 이루게 된다.

사랑이 조각나서 형체를 알아볼 수 없는 무엇이 되는 과정이 얼마나 고통스러운가. 이를 아는 사람은 자기객관화가 상처의 치유에 도움이 된다는 것을 본능적으로 알고, 또 이미 행하고 있을지도 모른다. 한편으로 자기객관화는 상처를 예방하는 방법이다. 물론 상처 없이 온전한 연애는 뜨겁지 않다는 속설이 있다. 반면, 미지근한 연애는 그만큼 유유하다는 속설도 있다.

정서의 가난,
권태기

사랑의 과정 속에서 우리는 수많은 감정의 도전을 겪는다. 이 도전은 스스로에게 던져지는 것이다. 예를 들어 권태 같은 것. 상대에게 익숙해지는 만큼 관계의 미래를 어느 정도 예측할 수 있게 되면 권태가 찾아오기도 하는데, 이런 것이 바로 스스로의 도전과제다. 사랑이 아닌 것 같지만 관계의 포장지 안에 갇혀있고, 이로 인해 무언가 극복해야 한다는 느낌. 또한 그 대상이 무엇인지 파악할 수 없는 괴로움.

권태를 겪는 동안에는 상대의 많은 면을 쉽게 단정 짓게 된다. 관계에 있어서 더 이상 새로울 것이 없다는 단정은 정서의 고갈을 부른다. 너라는 미지의 세계도, 궁금한 것도 마치 없는 것처럼 느껴진다. 결국 권태는 정서의 가난이다. 이 가난이 가혹하게 느껴지는 것은 내가 가진 것이 없어 더 이상 베풀 사랑도 없기 때문이다.

이때부터 사랑의 모든 단면들이 '나의 시선'으로 해석된다. 사랑을 지속하는 것도, 이별을 선택하는 것도 나에게 합리적이어야만 덜 고통스러운 것 같으니까. 우리의 사랑과 이별에 핑곗거리를 필요로 한다는 것, 정서의 가난함을 증명하고 있다.

어렵지만, 권태가 가져오는 정서의 가난은 극복할 수 있는 도전이다. 권태의 지루함은 시간이 지나면 묘하게 사라진다. 내일이면 우리는 또 다른 사건을 맞이하기 때문이다. 이처럼 시간이 흐르면서 사랑의 양상도 변화한다. 권태는 우리의 사랑이 맞이할 미래를 오늘로 끌고 와서 판단하는 것. 판단하지 않으면 권태는 시간을 이기지 못할 것이다.

사랑도 결국,
나의 프레임

　사랑. 사랑. 사랑. 온갖 유행가 가사부터 문학, 예술, 철학, 사회학 등 분야를 막론하고 사랑은 끊임없이 되풀이되는 화두다. 주변에 넘쳐나는 것이 사랑이다. 그러다 보니 우리는 수많은 매체뿐만 아니라 주변인의 사사로운 연애사까지, 너무나 많은 사랑을 간접 경험한다. 간접적인 경험은 그만큼 수많은 비교 대상을 낳는다. 비교 대상이 생기면, 비교적으로 판단해야 할 일도 생긴다. A 커플과 우리 커플. 드라마 주인공이 사랑하는 방식과 나의 연인이 사랑하는 방식.

　경험의 축적이 그럴싸한 견해가 되기 위해서는 깊은 사유가 동반되어야 한다. 문제는 미디어가 폭포수처럼 온갖 사랑의 양태를 쏟아 내다보니 이에 대해 사유할 겨를이 없이 휩쓸려간다는 것이다. 얕은 견해는 줄줄이 생겨난다. 사유가 없는 사랑은 정체성도 없으면서, 관계를 위한 조건들을 보편적인 척 생산한다. 둘의 관계인 사랑을, 남들에게 적용해서도 문제없어야 한다고 여기는 것이다. 둘의 관계에서 생긴 문제를 남에게 끌고 가 조언을 부탁하는 경우가 그렇다. 이것은 진지한 조언을 구하는 형태가 되기도 하지만, 때로는 내 상대자의 특성을 결점이라 못 박기 위해 함께 욕해줄 동료를 얻으러 가는 꼴이 된다.

사랑은 보편이 아닌, 개별적이고 특수한 일이다. 내가 간접적으로 경험했던 것들이 과연 사랑일까? 아니, 그것은 사랑 본연의 모습이라 기보다는 미지의 이미지에 가까울 것이다. 막상 잘 알지도 못하는 것을 당연하다 여기고 있는 것이다. 이것은 앎이 아니라 믿음이다. 사랑은 어떤 식이어야 한다는 믿음. 믿는다는 것은 자체로 따뜻해 보이지만, 해결할 수 있는 문제를 왜곡하거나, 심하게는 그 믿음이 상대를 질식시키기도 한다. 그렇다면 결국 알 수 없는 사랑도 나의 프레임인데, 한 박자 멈춰 생각해야 하지 않을까. 사랑 그 자체를 믿게 되는 일과, 사랑이 어떠한 것이라 믿는 것은 크게 다른 일이니.

사랑은
어려워

'사랑하면 연애하고, 결혼해야 한다. 배우자가 아닌 다른 사람과 교제할 수 없고, 가정에 책임을 져야 한다. 이혼은 사회적, 도덕적으로 떳떳하지 못한 일이다. 심지어 과부가 되어도 재혼해서는 안 되며, 자식을 돌보고 정절을 지켜야 한다.'

누구나 이 이야기들에 대해 낡고 고리타분하다는 말을 쉽게 할 수 있다. 그러나 각자의 마음 한구석을 쉽게 떠나지 못하는 습속이기도 하다. 위와 같은 관념들이 당연시되던 시기의 사랑은 그리 어려운 개념이 아니었다. 사랑의 수순을 관습적인 제도에 따라 밟아가는 것이 마땅했다. 물론 어느 시대에나 관습의 틀을 벗어나는 다양한 사건들은 발생한다.

감정은 제도화시킬 수 없고 측량할 수도 없으니, 관습의 틀을 벗어나게 된다. 그러니 소유, 독점, 집착의 욕망, 권태, 증오와 같은 감정의 자유와 일탈을 옹호할 수밖에 없지만, 정작 자신의 연인이나 배우자가 가질 감정의 자유는 두려워한다. 즉, 자유와 일탈은 자신에게만 허용되는 것이다.

　결혼은 이러한 인간의 욕망을 반영하는 제도다. 둘의 관계를 만인에게 공표하고, 감정의 자유를 속박한다. 대신 분리의 두려움을 잠시 잊고 살 수 있다. 결혼하지 않은 연인들은 지인들이 애용하는 소셜 매체에 사진이나 프로필 등을 이용해 서로의 관계를 증명하기도 한다. 그러나 감정은 만만치 않다. 온갖 방법으로 옭아매어도 다스려지지 않는 것이 감정이다. 하나의 감정도 이렇게 어려운데 사랑은 둘의 감정이 만나는 일이니 얼마나 어렵겠는가. 사랑은 아, 어렵다.

목적 없는
사랑

  우리는 종종 애정의 무게를 가늠한다. 상대보다 연락을 더 많이 하고 표현하는 것, 혹은 상대의 소홀함이나 미숙함을 묵인하고 참는 것. 이러한 과정을 자신의 희생이라고 여기기 때문일까. 희생은 목적성이 있다. 어떤 목적에 도달하기 위해 자신의 어떤 부분을 포기하는 일이기 때문이다. 그렇다면 우리의 애정은 어떤 목적성을 가지는가, 혹은 애정을 통해 나는 어디에 도달할 수 있는가.

  아마 도달해야 할 곳을 알 수 없거나, 필요로 하지 않아야 할 것이다. 애정과 희생은 목적 앞에서 미묘하게 길을 달리한다. 취업, 수많은 자격증, 성적, 심지어 취미생활까지도 성취를 타의로 혹은 스스로 요구하며, 이는 피로감이나 스트레스와 같은 과정의 희생을 요구한다. 이와 같은 사회의 습관들은 애정까지 자기완성의 도구로 여기게 한다. 원만한 연애, 결혼, 상대의 성격이나 조건들. 이것은 욕구에 가깝다. 욕구나 목적은 도달의 절정이 있지만, 그 후에는 상실이 있다. 더 이상 도달할 것이 없다는 상실감이나 무력감과 같은 것들 말이다.

목적에 대한 지나친 집중은 꼼꼼하게 이루어진 과정들을 상대적으로 소외시킨다. 애정은 순간순간의 행복과 그 자체로서의 만족을 줄 수 있지만, 최후의 절정 같은 것이 있다고 말할 수 있을까. 당장에 알 수 없다면 우리는 지금 너와 나의 순간을 일기 쓰듯 소중히 사는 것이 훨씬 나을지도 모른다. 애정은 그 자체로 목적이나 과정이며, 혹은 그 무엇도 아니지만 누구의 희생 없이도 충만하다. 희생은 더 이상 희생이 아니며, 너에게 줄 수 있다는 만족감 같은 한 결의 애정일 뿐이다. 꽃에 시선을 주는 자체로 아름답다 느끼고 더 이상 무엇을 바라지 않듯이, 사랑을 주는 것 자체로 충분하다.

정신의 오르가즘에
도달하기 위하여

육체는 정신과 함께한다. 분리할 수 없는 것이다. 섹스 또한 정신의 사랑과 분리되지 않는다. 남성과 여성의 생물학적 차이를 근본적으로 들여다보면 육체적 관계가 정신의 어떤 면을 보완해주는지, 정신의 사랑이 어떤 식으로 만족스러운 섹스를 낳을 수 있는지 확인할 수 있다. 이 단서들은 에리히 프롬의 1943년 논문 '성과 성격(Sex and Character)'에서 보다 흥미롭게 추론할 수 있다.

육체의 쾌락인 섹스가 정신적으로는 불안함을 야기할 수 있다. 이 불안함은 생물학적 성 차이에서 온다. 남자는 섹스를 위해 발기해야 한다. 발기는 성적으로 흥분하면 나타나는 현상이지만, 이것이 필연적인 것은 아니다. 의지를 가져도 발기가 되지 않으면 섹스가 불가능하다. 슬프지만, 발기는 의지의 문제가 아닌 것이다. 여기서 남자의 근본적 불안감을 예상할 수 있다. 반면 여자는 상황에 동의한다면, 발기와 같은 생물학적 변화보다는 섹스를 받아들일 의지 자체로도 충분할 수 있다. 그러나 의지 하나로 절정에 도달할 수는 없다. 발기를 지속할 수 있는 남성의 능력을 필요로 하는 부분이 있는 것이다.

결국 남성은 성적 만족을 '줄 수 있는가'라는 실패의 두려움을 가지고, 여성은 성적 만족을 '받을 수 있는가'라는 욕구불만의 두려움을 가진다. 섹스는 사랑의 육체적 징표로서 핵심적인 행위지만, 오르가즘을 둘이 동시에 겪는 것은 상당히 어려운 일이다. 이는 섹스가 공유하는 행위라기보다, 서로 다른 출구의 쾌락으로 달려 나가는 일이 될 수 있다는 점을 알려준다. 따라서 만족스러운 섹스는 육체적 능력 밖의 일일 수 있다. 즉, 정신의 소통을 필요로 하는 것이다. 우리는 섹스에 대한 원초적 불완전성을 감지하고 있지만, 이에 크게 좌절하지 않는 것은 정신의 만족을 알기 때문일 것이다.

어떻게 해야 좋고, 왜 좋은지, 우리는 왜 지금 섹스를 하고 있는지. 이러한 질문들에 충족할 수 있는 대답이 있고 우리가 대화하고 있다면, 이는 정신의 오르가즘으로 도달하는 섹스를 함께 나누었다고 말할 수 있지 않을까.

실연의
탐구

　실연은 왜 문학이 되는가. 혹은 어떻게 음악이 되고, 예술이 되는가. 사랑의 상실은 연인의 죽음이다. 나의 감정은 대상도 없고, 끝도 모르는 곳으로 달려간다. 사랑이 떠났음에도 그 자리에는 더 큰 욕망과 더 깊은 사랑이 생겨나는 것이다. 실연의 감정은 세상 모든 것들에 사랑을 깃들게 하고 너와 나를 떠오르게 한다. 거리, 식당, 물건, 집 앞까지. 눈에 보이는 것들은 오감을 자극하고, 머릿속에는 스크린이 생겨난다. 스크린에는 유치한 멜로드라마가 상영되고, 우리는 아주 사적인 감정에 함몰된다.

　감정이 쉽게 끝나지 않는 것이다. 그럼에도 나의 사랑이 떠난 줄은 안다. 끝없는 우울과 소진되는 기운 속에서, 산다. 또 살아질 것을 안다. 그렇다고 실연을 납득할 수는 없다. 상황을 이해하고 받아들여야 할 것도 안다. 우리가 왜 헤어졌는지는 중요하지 않다. 차차 회복을 위해, 자신을 설득시키는 일이 더 중요해진다. 이 설득의 과정에서 우리는 저 깊은 곳에서 끌어올리지 못했던, 감정의 모든 가능성들을 끌어올린다. 이별을 받아들이고, 스스로를 설득할 때마다 언어와 표현,

사유가 풍부해진다.

　이별은 창작의 원동력이 되고, 실연은 비로소 문학이 된다. 사랑은 이별을 모순처럼 끌어안는다. 이렇게 보면 실연은 사랑이 상실되는 순간이 아니라, 오히려 사랑이 더욱 풍부해지는 순간 같다. 홀로 남겨진 상실의 시간은, 나를 사골처럼 푹 고아내어 사랑을 발견토록 하는 시간인 것이다. 실연을 탐구하는 문학처럼, 문학 같은 실연처럼.

사랑은
순간에

    사랑의 열망은 어디서 오는가. 당신을 가질 수 없음에서 온다. 그 사람의 웃음도, 애정 어린 말들도, 살의 촉촉한 촉감도, 향기도 사실 내 것이 아니다. 열망은 달아오른다. 삶도 사람도, 감정도 그대로 머물러 있지 않다. 돈이 있으면 무엇이든 가능할 것 같지만, 돈이 있어도 존재적 삶과 존재적 사랑의 변화를 내 앞에 완전히 멈추어 세울 수 없다.

    사랑을 영원불변한 것으로 생각하는 사람은 본인만의 사랑 안에서 완전한 실패를 겪는다. 이 실패는 어쩌면 패배에 가까운 것이다. 사랑은 순간에 존재하는 것이지 영원한 것이 아니다. 10년을 만난 연인이, 10년 내내 사랑만 했을까. 어떤 순간은 사랑했으나 어떤 순간은 증오하고 미워했을 것이다. 10년의 의리와 습관 속에서 들쑥날쑥했던 서로의 감정들을 통칭하여 '우린 사랑했다' 하는 것일지도. 이처럼 사랑은 순간에 실패하고 순간에 온다. 사랑 속에 이미 좌절이 있다.

    삶을 사랑하라는 말이 자신에게 한껏 원하는 것을 해주고, 원하는 사람과 사랑을 하고, 원하는 것을 먹으라는 뜻일까. 당신이 원하던 것들은 순간 속에서 반드시 사라진다. 삶을 사랑하라. 삶의 허무그 자체를 받아들이고 긍정하라는 뜻은 아닐까. 어디에도 속할 수 없고, 누구도 소유할 수 없는 존재로서의 삶을 알게 해주는 사랑. 사랑은 우리를 반성하게 한다.

해석 불가능한
애정

미약한 굴곡 하나 없는 삶이 있을까요. 우리의 사랑도 마찬가지입니다. 굴곡 없는 평행의 관계는 사실 무관심하고 아무것도 없는 관계라고 할 수도 있겠지요. 우리는 마음의 평정을 찾기 위해 사랑할 사람을 찾지만, 도리어 이것이 사람의 마음을 마구 흔들어놓습니다. 온갖 일들이 얽히다 보면 눈앞에서 분노하고 증오하면서도, 이내 사라지면 다시 끌어내어 보고 싶은 것이 연인의 얼굴이지요. 설령 그 얼굴에 대고 욕을 할지라도 봐야만 하는 것이 연인의 얼굴입니다.

연애가 이런 감정 굴곡의 역사라면, 사랑은 무엇일까요. 사랑은 즐거움, 애정, 의리, 그리움, 습관, 증오, 분노, 미움 등 그 어떤 것도 아니면서 이 모든 것이기도 하겠지요. 그러다 보니 사랑에 대한 자신만의 기준이 있는 사람은 피로해지기 마련입니다. 이렇게 흔들리는 것들로 가득한 것이 사랑인데, 거기에 기준이라는 깃발을 꽂아봤자 지대는 모래성이겠지요. 바람이 불면 모래성은 모래알갱이가 되어 이내 힘없이 날아가 버릴 것입니다. 그러면 외로움이 찾아오고 또 깃발을 꽂을 모래성을 찾겠지요.

사랑은 생동 그 자체입니다. 물론 여기에 다양한 의미부여나 해석이 가능하겠지만, 그 모든 것이 맞지도 틀리지도 않습니다. 연인의 말투나 행동으로 만족하고 다투는 것도, 어쩌면 맞지도 틀리지도 않은 일에 충만해하고 분노하는 것이기도 합니다. 그래서 참 어려운 것이 연애이고, 관계인 것 같습니다. 그에 대한 연민이나 애정, 이 모든 것들이 상대에게 닿을 것 같지만, 결국은 내가 삼키고 마는 것이지요.

우리의 사랑을 위해
맑스주의가 필요한 이유

자본주의가 만들어내는 소유의 구조는 우리의 정신을 통째로 흔들었다. 끊임없이 새로운 제품, 편리한 것, 맛있는 것이 나오고, 이를 가지기 위해 일을 한다. 인간 스스로가 만들어낸 기술을 활용하는 것이 아니라, 도리어 그 기술에 지배당하고 얽매인다. 물질적인 것이 삶을 착취하는 것이다. 돈이 없으면 살 수 없는 사회이니, 돈이 없으면 사랑도 할 수 없는 것처럼 느껴진다. 그래서 사랑의 대상에도 수많은 조건들이 붙는다. 성격, 수입, 외모, 자라온 환경. 마치 자신이 사용할 제품을 고르는 모습과 닮아있다. 디자인, 편의성, 내구성, 가격. 소유와 소비의 관념은 사람을 사람 자체로 사랑할 수 없게 만드는 것이다.

맑스가 자본주의에 대해 비판한 지점도 여기다. 인간이 존재 자체가 아닌 소유물, 상품화되는 것. 실상 맑스주의는 인간에 대한 사랑, 휴머니즘으로 달려간다. 맑스의 이론이 최종적으로 공산주의, 사회주의 자체를 유토피아로 바라보고 있다는 것은 오독이다. 맑스는 공산주의의 너머에 있다. 우리가 의식하지 못하는 새에 깊이 침투한 자본주의의 정신을 비판하고 있는 것이다. 자본의 논리를 벗어나 인간을 존재 그 자체로 바라볼 수 있는 사회를 생각했다. 은연중에 맑스를 외치는 몇몇 정치인들은 복지의 개념을 누구든지 가난을 벗어나 혜택을 '소유'할 수 있다는 것에 초점을 맞추고 있다. 이 선전에 이용당한 대중은 여전히 '소유'라는 자본주의의 굴레에서 벗어날 수 없다.

우리 대부분이 기형적인 사랑을 겪고 있다. 상대를 사랑하는 것이 아닌, 상대에게 주어진 어떤 조건들을 구매하여 만족하고 있다. 맑스는 이런 비극의 심연을 바라보고 있었던 것이다. 누구나 평등하게 먹고사는 것이 보장된다면, 나는 나로 너는 너로 존재할 수 있다. 사람은 월급이나 기술에 담보되어 교환되는 사회의 부품이 아니다. 사람을 이것저것 따져서 구입할 상품이 아닌, 그 자체의 인간으로 바라볼 수 있을 때, 비로소 사랑이라 불릴만한 행위들이 오갈 수 있지 않을까. 연애를 하며 보편적으로 겪는 비겁한 밀고 당김도 많은 부분 사라질 것이다.

소득, 직장, 직업, 집의 소유를 경쟁으로 바라보지 않는 사회. 너라는 이유 하나만으로도 충분히 사랑할 수 있는 사회. 그래서 너와 솔직하게 갈등할 수 있는 사랑의 사회를 꿈꾸는 것. 맑스주의. 아직 그런 사회는 오지 않았기 때문에, 맑스의 유령은 여전히 우리 사회를 쓸쓸하게 배회한다.

너의 말과 나의 말이
구분되지 않을 때

우리가 뱉은 수많은 말들 속에 얼마나 많은 사랑이 있는지 모릅니다. 너무나 많은 말들을 내뱉는데, 그 속에 문득 사랑과 그 사람의 흔적이 있습니다. 억양, 말투, 습관적으로 사용하는 단어들, 심지어 어떤 대상에 대한 관점까지도. 방금 던져진 나의 말들이 나의 말이 아닌 것처럼 느껴질 때가 있지요. 나의 입에서 나왔지만 사실 그것은 너의 말들이었다는 것을 알아챌 때, 생각보다 깊은 곳에 서로의 입김이 닿아있다는 것을 알게 됩니다.

연애는 그렇게, 어쩌면 불가항력적이라 느껴질 정도로 닮아가는 것이겠지요. 그러나 연인이 당신의 근본적 공허를 완전히 채워줄 수 있을까요. 마음의 빈칸에 퍼즐 맞추듯 완벽히 들어맞는 사람이 있을까요. 타인이라는 단어는 이미 '알 수 없음'이라는 근원적 문제를 전제하고 있습니다. 그렇다면 그대가 나에게 완벽히 들어맞을 사람인지도 알 수 없겠지요.

우리는 그렇게 어긋난 퍼즐을 안은 채 살아야 하는 것입니다. 그러

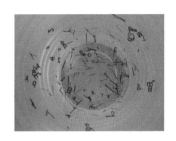

나 사람의 마음은 부족함으로도 빈칸을 채웁니다. 오랫동안 함께 끌어안고 사는 부모님을 보면 그런 마음이 듭니다. 작은 실개천에서도 대양을 발견한 듯 헤엄치며 사는 사람들 같아서요.

너로서, 나로서
생리현상

나는 나로 존재할 수 있는가. 쉽지 않다. 나를 보여주는 통로가 너무나 다양해졌기 때문이다. SNS와 같은 각종 플랫폼은 자신의 정체성을 드러낼 것을 요구한다. 작은 프로필 사진부터 커버사진, 작은 문구까지 채워 넣어야 할 것이 많아지고, 이를 사용하는 사람이라면 어떤 방식으로든 취향과 개성을 드러내게 된다. 심지어 아무것도 드러내지 않는 사람까지, 그 자체로 이미 본인의 정체성을 반영하게 되는 것이다.

이 모든 것은 타인의 시선에 보이는 나로 초점 맞추어진다. 정작 관계를 벗어난 자신의 고유함은 흐릿해져 간다. 물론 자신을 다양한 방식으로 드러내는 것을 부정할 수 없다. 능동적이고 영리한 표현은 즐거움을 주거나 때로는 예술(적임)이 되기도 하기 때문이다. 그러나 문제는 타자화된 자신을 인식하지 못할 때 발생한다. 이는 사랑이나 인간관계에 적지 않은 부작용을 일으키기도 한다.

연인이 '타자화된 나'를 사랑하고 있을 때, 나는 끊임없이 연기해야 한다. 불가피하게 배우가 되는 것이다. 너에게 맞춰진 또 다른 내가 가진 자상함, 애정표현, 습관들. 그 기간이 길어지면, 사랑도 추억도 다 거짓말이 되는 허탈함을 겪기도 한다. 관계 속에 존재하는 나를, 나 자체로 내버려두는 것은 쉽지 않다. 그렇다면 온전히 나로서 연인과 관계할 방법은 무엇일까.

생리현상, 아무것도 꾸미지 않은 생리 그대로의 나를 드러내는 것이다. 개인적으로는 연인 앞에서 방귀를 트려고 노력하는 편이다. 누군가는 웃겠지만, 누군가는 눈살을 찌푸릴지도 모르겠다. 방귀 트기는 타자화된 나를 열어젖히는 하나의 방식이다. 그저 아름답고, 예쁘기만 한 것이 관계를 지속시킬 수 있을까? 멋있는 나도 예쁜 너도, 추하고 민망할 때가 있다는 것은 틀림없는 사실이다. 이런 면에서는 방귀가 섹스보다 노골적이다. 연인 앞에서 어렵지 않게 속옷을 벗을 수는 있어도, 방귀 한 번 끼는 건 어렵듯이. 관계가 지나치게 긴장감을 유지하다 보면 피로해진다. 가끔은 방귀 같은 솔직함이 좋다. 상대가 받아들이지 못하는 부분을 회피하는 것이 아니라 그대로 돌파해야 할 때도 있는 것처럼.

침묵으로
사랑할 때

꼭 같은 곳을 바라보며 이야기해야만 사랑할 수 있을까요. 책, 영화, 음악, 예술, 공통의 취향, 지적 관심사 등 함께 이야기할 수 있는 것들. 물론 닮은 관심사를 나눌 수 있다는 것은 너무나 즐거운 일이며, 서로에게 발전적으로 작용하기도 합니다. 그러나 비슷한 취미나 취향이 연애의 필요조건은 아닙니다. 오래된 연인들 모두가 공통의 주제로 대화를 나누고 있을까요. 어쩌면 침묵으로 더 많은 시간을 보내는 연인도 있을 것입니다.

침묵은 절묘합니다. 말하지 않는 것으로 말을 하며, 그 순간 사랑은 통념적인 언어의 틀을 벗어납니다. 침묵은 당신과 나의 간격을 알려줍니다. 어쩌면 무서운 순간입니다. 가만히 있어도 행복해서 간지러울 때가 있는 반면, 넌더리나게 소모적이고 무의미한 시간으로 느껴질 수도 있으니까요. 그럼에도 침묵의 사랑을 추구하고 싶습니다. 사랑은 어떤 개념으로도 포획되지 않고 미끄러지는 것이어서, 말없이 설 때 더 강렬해 보이기 때문입니다.

아무것도 하지 않는 시간이 좋습니다. 당신과 함께 있으면 그렇습니다. 그리고 누군가 말했습니다. 그 사람은 심심하지만, 참 괜찮은 사람이라고. 오래된 연인은 자극에도 흥미에도 익숙해지겠지요. 그러다 보면 할 말 없이 심심해질 때가 있겠지만, 당신은 참 괜찮은 사람, 좋은 사람이겠지요.

옳고 그름이 없는
사랑

우주가 무엇이냐 물으면 불가피하게 겸손해지는 사람들이 많지만, 사랑이 무엇이냐 물으면 저마다 한마디씩 말을 던져보기 마련이다. 사랑은 그만큼 우리의 경험에 밀착해있기 때문이다. 경험에 밀착해있는 만큼 '사랑, 관계, 타인은 무엇일까' 하는 개념으로서의 사랑보다는 '서운했던 것, 다퉜던 것, 잘해준 것'과 같은 사건으로서의 사랑에 더 익숙하기 마련이다. 사랑의 사건 앞에서 누군가는 우리에게 판사가 될 것을 요구하고, 또한 누군가는 자처한다. 심지어 연애경험이 전무한 사람조차도 어렵지 않게 이에 합류한다.

그렇다고 해서 사랑의 법학, 사랑의 윤리학이 가당할까. 이 질문 앞에서 고개를 갸우뚱거리게 된다. 사랑은 파괴적인 자유다. 사랑은 구조화된 기성의 태도를 부수고, 우리를 해방시킨다. 타인을 위해 자신을 아무렇지 않게 희생하는 것, 내가 가진 것 이상으로 상대에게 뛰어들어 베푸는 것, 나를 밑바닥 너머까지 소모하는 것. 그럼에도 감정의 쾌감과 행복을 얻고, 도리어 내가 채워지는 충만함을 느끼는 것. 이렇게 난해하고 복합적인 것이 사랑인데, 어떻게 판사 봉을 두드

리며 사랑의 사건들을 판결할 수 있을까. 어려운 일이다. 설령 판결문이 있다 해도, 그것은 분명 닫힌 길이 아닌 열린 길 위에 있을 것이다.

사랑할만한
사람이 없다고?

　문득 과거의 사랑과 닮은 사람을 우연히 마주칠 때가 있다. 닮은 생김새만으로도 발걸음이 떨어지지 않는다. 혹여나 그 사람과 대화를 나눌 수 있다면 이는 천금같이 묘한 설렘을 불러온다. 사실 그 사람은 과거의 사랑과 어떠한 방식으로 엮여있지 않을 것이다. 그럼에도 과거를 떠나지 못한 사람의 신경은 한껏 곤두서있다. 내면의 닮음을 찾기 위해서다.

　하나둘씩 내면의 생김새에서도 공통점을 발견하고, 사랑은 긴박해진다. 그 사람과 정말로 닮은 것일까, 아니면 내가 그렇게 본 것일까. 사실 사람은 만 가지로 다르지만, 또 만 가지로 비슷한 구석도 많아서 공통점을 찾아내자면 어려운 일도 아니다. 물론 과거에 얽매어있다는 것이 오해에 빠진 사랑을 만들 수 있다는 난점은 있지만, 한 가지 흥미로운 점도 알려준다. 우리는 우리가 보는 방식대로 상대를 구성할 수 있다는 것이다.

　내가 능동적으로 사랑을 구성할 수 있다면 '사랑할만한 사람이 없어서 연애를 못하지'와 같은 대상의 부재에 대한 푸념은 힘을 잃는다. 사랑을 구성하는 이에게는 사랑할만한 대상들이 너무나 많기 때문이다. 그만큼 어떤 대상에게서 남들이 보지 못하는 심연을 읽어낼 수 있는 시선도 깊어져 간다. 그러다 보면 세상에 매력적인 사람이 참 많아진다. 사랑이 무엇인지 잘은 몰라도 그리 어렵게 돌아가지 않아도 될 것처럼.

사랑과
소유욕

1.

브랜드, 개성, 독특한 것에 대한 열망이 뜨거운 기호의 제국에서 누가 왕이 될 수 있는가. 궁극적으로는 돈이 많은 사람이 유리하다. 감각이 있어도 돈이 없으면 선택과 소유의 폭이 좁아지기 때문이다. 많은 것을 소유할수록 조화로운 감각을 노출할 확률도 높아진다. 그러다 보니 소유에 대한 관심을 인간에 대한 관심과 혼동하기도 한다. 누가 무엇을 어떻게 입고, 가지고 있느냐에 따라서 그 사람의 존재양상에 대해 비약적으로 판단하는 것이다. 그만큼 무엇을 가지는 것은 중요하게 되었다. 중요한 것이 옳은 것은 아니다.

2.

어떤 대상을 소유하지 못하면 그것에 대해 알고 향유하는 것이 어려워진다. 아니, 실제로 어려워진다기보다는 어렵다고 느끼게 된다. 물건, 사람, 심지어 자연까지도 가져야만 편해지는 것이다. 꽃이 예뻐서 톡 뜯어 향기도 맡아보고, 머리에 꽂아보기도 하고, 꽃잎을 하나하나 뜯어 관찰하기도 한다. 이내 꽃은 말라 죽는다. 이처럼 마음에

드는 대상을 완전히 알고 싶다는 욕망은 그것을 내 손안에 넣어야겠다는 소유욕으로 나아간다. 그것이 설령 그 대상을 죽여 버릴지라도 말이다.

사람도 예외가 아니다. 사람을 사랑하는 것을 넘어 내 것인 마냥 꼭 쥐고 있다 보면 어느새 그 사람은 죽어있다. 소유욕에 얽매인 사랑은 그 사람 자체가 아닌 자신이 사랑할 수 있는 면모만을 허용한다. 상대의 시간을 공유하고 있지만 내가 볼 수 있는 것만 보고, 내가 들을 수 있는 것만 들을 수 있다. 시간이 지나면서 착각, 배신, 분노의 감정이 일고 다시 한 번 대상을 정신적으로 죽이게 되지만, 그 사람은 멀쩡히 살아있다. 너를 사랑한 것이 아니고 '나의 너'를 사랑했으니, 내가 죽여도 너는 사는 것이다.

너의 얼굴과
발가락까지도

쩝쩝하고 밥 씹는 소리가 난다. 그 소리가 좋다. 그래서 간혹 밥을 먹다가 말을 아낄 때가 있다. 아무 소리 없이 쳐다보면 숨소리, 눈 깜빡임과 같은 통제할 수 없는 그대로의 것들을 볼 수 있다. 상대의 작은 습관에 눈과 귀를 기울이면 스토커가 되는 것 같다. 내가 볼 수 있는, 혹은 발견한 너의 고유한 것들. 관음증 환자가 된 기분이지만 마음이 가볍다.

알게 모르게 달고 다니던 자신의 습관을 상대로 인해 알게 될 때가 있다. 예상치 못한 순간에 말투나 표정, 젓가락을 쥐는 모습까지 흉내 내어 장난치는 사람이 반갑다. 그 습관이 사사로운 것일지라도 나의 특징을 발견하는 일은 때로 유쾌하기까지 하다. 그 사람은 얼마나 많은 침묵의 순간을 보내며 너를 바라봤을까. 애정이 흥건해서 좋은 냄새가 난다.

우리의 수많은 말들은 어떻게 타인을 구성하며 왜곡하고 있는가. 그 와중에 나도 모르는 나, 너도 모르는 네가 만들어지고 있다. 이 시간은 오해의 시간이다. 함께 하는 동안의 침묵과 그 안에서의 관찰이 오해의 탈출구가 될 수 있지 않을까. 결국 어떠한 말들도 너와 나를 완전히 설명해줄 수는 없다. 어떻게 보면 타인은 완전한 암실 같기도 한 것이니까. 이곳의 불을 밝히는 건 자신의 눈이다. 그렇다. 불을 켜 보니 난 너의 밥 씹는 소리가 정말로 좋았다. 그게 전부라고 해도 부족하지 않을 만큼.

질문은 고유한
사랑을 만든다

    우리의 사랑들은 한정된 공간을 부유한다. 사랑이 아닌 사랑들. 굳이 단수가 아닌 복수의 사랑들이라는 표현을 쓴 까닭은 이것이 수많은 순간과 사람들을 함께 담고 있기 때문이다. 의리나 정, 습관, 버팀, 애증, 집착, 짝사랑, 권태, 그리고 A라는 사람과 B라는 사람, C, D까지. 모든 사람에게 해당하는 이야기는 아니겠지만, 누군가는 수많은 감정과 사람들을 시간과 함께 떠나보내면서도 기억으로, 몸으로 붙잡고 있다. 그들과 거닐었던 공간 역시 변화하기 마련이지만, 공간은 시간보다 단단하고 시각적이어서 어찌 그 사랑들을 꽉 붙잡고 있는 것만 같다.

    즐겨 찾던 길 위에서 지금의 순간이 과거의 순간과 충돌하고, 현재의 사랑과 과거의 사랑이 혼잡하게 오고가면서 걸음이 어색해질 때가 있다. 나는 변한 것이 별로 없는 것 같고, 과거의 표현들을 너무나 뻔뻔하게 답습하면서도 싱싱한 애정인 것 마냥 포장하고 있을 때면 죄책감이 들기도 한다. 지나간 것은 지나간 것이라지만, 변하지 않는 공간의 무게가 감정을 묵직하게 조여 올 때가 있다. 공간의 무게를 어떻게 회피할 것인가.

　이럴 때는 마구잡이식일지라도 싱싱한 질문들을 만나고 싶어진다.
질문은 생각을 정돈하게 만들고, 이내 정리한 바를 표현하면 허물을
벗는 느낌이 든다. 알고 있는 것도 써야 버릴 수 있고, 또 새로운 것을
받아들일 여유도 생긴다. 질문을 받는 것은 마치 새로운 옷을 선물 받
는 것 같아서, 이에 답하다 보면 우리만의 이야기가 만들어지고 관계
의 스타일도 생긴다. 상대에 대한 기분 좋은 의문에서 출발한 질문들
이 과거의 답습을 해체시켜주는 고유한 관계, 사랑을 만드는 것이다.

정신의 성감대를 자극하라

섹스는 서로의 모든 것을 벗기고 확인하는 원초적인 행위인 것 같지만, 꼭 그렇지도 않다. 오래된 연인일지라도 섹스의 자유를 만끽하기는 쉽지 않다. 애무가 오럴로, 오럴이 섹스로 이어져서 남녀의 체온은 부쩍 올라간다. 그러나 단조로운 피스톤 운동 앞에서는 이내 식고 만다. 서로의 성감대를 찾아 자극하면 한쪽은 뜨겁게 단단해지고 다른 쪽은 뜨겁게 축축해지겠지만, 그들은 정신적인 성감대를 발견하지 못했다.

언어는 정신의 성감대를 자극한다. 정신의 장벽은 꽤나 보수적이라서 섹스를 하는 중에도 막상 언어를 온전히 개방하지는 못한다. 남녀는 발가벗으면서도 보이지 않는 선, 예의를 지키고 있다. 조심성을 쉽게 포기할 수가 없다. 언어의 예의를 포기한 이들은 발정기의 동물과 다를 바가 없지만, 서로가 받아들일 만큼 느슨히 한다면 정신의 성감대를 자극할 수 있다. 여기서 언어는 '야한 말'을 일컫는다. 정신이 육체에 의존하는 만큼, 육체도 정신에 의존하므로 야한 말은 기대 이상의 흥분을 불러일으킬 수 있다.

적어도 섹스를 하는 동안은 윤리나 상식의 선을 아슬아슬하게 넘어보는 것이 어떨까. 혹은 그 선을 지그시 밟아보는 것은 어떨까. 우리는 다양한 행위나 기법을 통해 육체를 기묘하게 해방시키지만, 정신의 영역에서는 생각보다 단단하게 건전함을 유지하는 것 같다. 비수 같은 말 한마디가 물리적인 폭력보다 정신을 지독하게 휩쓸듯이, 야한 말을 유용하게 개방하면 서로를 보다 강렬한 오르가즘으로 끌고 갈 수 있다. 성적흥분을 위해서 나와 너, 육체와 정신은 협동해야 한다.

사랑의 원형을 찾았나요, 독재자

그는, 그녀는 더 이상 나를 사랑하지 않는 것 같아. 왜냐하면…

왜 단 하나의 사랑, 사랑의 원형을 찾아 헤매는 것일까. 감정에 깊이 빠지다 보면 어느새 사랑에 대한 조건들을 따지고, 스스로 사랑의 정의를 세운다. 연락이 드물어졌거나, 나를 보고 잘 웃지 않는다든가, 혹은 말수가 적어지든. 연인이 보여주는 수많은 기호들이 마치 사랑의 원형을 알려주는 길이 될 것이라고 생각한다. 과연 사랑의 본질이나 원형, 정의는 존재할 수 있을까.

사랑이 어떤 것이라는 정답은 없다. 다양한 사람들이 존재하는 만큼, 누가 누구를 만나느냐에 따라 사랑의 형상도 수만 가지로 변한다. 그렇게 그들만의 사랑이 만들어지는 것이지, 원형 같은 것이 본래 존재한다고 말하기는 어려운 점이 있다. 설령 있다고 해도 원형이라기보다는 사랑에 대한 본인만의 '믿음'에 가까울 것이다. 이 믿음이 사람을 지치게 한다. '사랑은 ~하는 것이다'라는 본인만의 범주를 벗어나는 것은 사랑이 아니니까.

사상이나 정치의 독재에는 쉽게 냉철해지고 비판적인 열변을 토하면서, 정작 본인이 저지를 사랑의 독재 앞에서는 왜 눈이 멀어버리고 마는 것일까. 그래서 사랑도 공부해야 한다. 감정의 열망에 휘말려 자신도 모르게 독재자가 되면 관계가 병들기 십상이다. 사랑에 있어서도 무지는 악덕이다.

사람을 잊지 못해
힘들다는 사람에게

사람을 잊지 못해 힘들다는 사람은 한껏 힘들어해야 한다. 나락으로 떨어지고 끝없이 지치다 보면 그나마 발 디딜 밑바닥을 찾게 되는데, 그래야 그나마 다시 일어날 준비가 될 것 같다. 술이나 토로, 집착과 자해 어떤 것도 그 순간 실연의 고통을 덜어주지 못한다. 시간이 약이라고 하는데 당사자에게는 정말 무방비한 위로가 될 뿐이다. 이 말밖에 할 말이 없지만.

시간이 정말 약인 것일까? 시간의 경과가 누군가에 대한 감정을 직접적으로 덜어 내어주는 것은 아니다. 시간이 약이라는 것은 사랑이 긴 시간 동안 다뤄야 할 고통스럽고 무거운 감정이라기보다는, 오히려 순간의 착각처럼 빈약한 감정이라 말해주는 것 같다. 거대한 시간 앞에서는 한순간의 열망처럼 사라질 수 있는 것이 사랑이다.

다양한 매체가 수없는 가상의 사랑을 만들어내고, 우리는 그 앞에서 사랑의 숭고함을 꼭 붙잡아야 할 것 같지만 이는 판타지 같은 것이다. 뜨겁게 사랑했다면 죽을 듯이 힘들어할 수밖에. 감정은 말 그

대로 감정처럼 여물어야 할 것 같지만, 그렇지 않다. 감정에는 혼자

짊어져야 할 차갑고 무거운 책임도 뒤따르는 것이다.

더치페이?

 사회를 주도하는 체계, 이데올로기는 당연한 듯이 삶의 전제처럼 작용한다. 우리는 자본주의 사회의 교환방식에 익숙하고, 이 교환방식은 삶의 곳곳에 침투해있다. 받는 것이 있으면 주는 것이 있어야 하고, 주는 것에는 받을 것이 뒤따른다. 서울역의 노숙자는 어떠한 대가도 없이 빌어먹는 사람들이니까, 눈총을 받아 마땅하다. 대가가 따르는 것은 합리적인 것이며, 노동은 너무나 신성한 것이다. 정말?

 자본주의의 교환방식은 우리의 사랑에도 깊게 침투해있다. 특히 감정은 화폐처럼 측량할 수 없는 것임에도 우리는 감정의 크고 작음을 느끼고, 이에 따라 만족과 서운함도 느낀다. 교환방식에 익숙해진 삶이기에 사랑의 교환가치를 계산하는 일이 어쩔 수 없이 따르는 현상일 수 있지만, 이 현상을 사랑하는 방법의 전제로 삼을 수 있는 일일까.

 더치페이. 각자 먹은 음식에 대한 대가를 각자가 지불하는 것은 정당하고 합리적인 일이다. 너무나 당연한 것이지만, 이것이 사랑의 관계에 있어서도 당연한 전제요건이 될 수 있을까. 반반 내기는 소위 말하는 '개념 있는 사람'을 판단하는 기준이 되기도 한다. 돈으로 생존하는 세상에서 사랑과 경제는 완전히 떼놓을 수 없는 것이지만, 사랑이 꼭 경제의 관념에 딱 달라붙어 있어야 하는 것은 아니다.

더치페이는 지불해야 할 돈을 정확하게 둘로 쪼개는 것인가? 아닌 것 같다. 그렇다면 경제력이 있는 연인에게 빌붙는 것은 마땅한 일인가. 아닌 것 같다. 더치페이의 심연을 통해 우리는 사랑에 있어서 마음의 씀씀이를 이야기할 수 있다. 내가 줄 수 있는 만큼은 실컷 줄 수 있다는 마음, 그러나 필요 이상으로 상대에게 부담을 주거나 받지 않는 것. 베푸는 것을 기뻐할 줄 알고 받는 것에 진심으로 감사하는 것. 주고받는 것보다는 대가 없이 함께 나누는 것. 내 꼴을 알고 관계에 솔직해지고 털어놓을 줄도 아는 것. 더치페이의 표면에 머무르지 않고 조금만 더 들어간다면, 이처럼 계산할 수 없는 우리의 사랑을 이야기할 수 있지 않을까.

섹스를 하면
현자가 된다

섹스에 동반되는 대화는 흥미롭다. 대화만 떼어내고 보면 감각에 의존한 단순한 표현들 위주라 유치한 점이 있다. 이 좋음은 말로 표현하기 어정쩡하기도 하고, 표현하기에 방황이 될 만큼 급박하고 묘하다. 그만큼 섹스가 주는 감각적인 쾌락은 고유한 것이라 설명하기 어려운 것이다. 동시에 복합적이다. 복합적이라는 것은 섹스가 성욕의 해소를 넘어서 다양한 욕망의 분출구가 된다는 것이기도 하다.

섹스를 하는 동안은 상대에게 성욕 이외의 취향에 맞는 욕망들을 권유하고 이끌어내는 것이 자연스럽다. 갖가지 기묘한 체위들과 오럴, 페티쉬 혹은 다소 통증을 동반하는 행위까지. 성욕은 성욕에 머무르지 않고 다양한 욕망이 뒤엉킨 형상을 가지게 된다. 그래서 섹스의 시간은 원초적인 본능을 편안한 마음으로 긍정할 수 있는 시간이다.

섹스는 뜨거운 온도의 감각으로 일어나는 숨 가쁜 행위 같지만, 지나고 나면 차분한 마음을 부른다. 섹스를 한 뒤 한숨 푹 자고 나면 생각이 차분해지고 책의 활자들도 선명해진다. 마치 커다란 여유가 찾아온 느낌인데, 꼭 현자가 되는 것 같다. 성욕은 이처럼 복합적인 욕망을 담고 있고, 섹스는 일상을 벗어난 본능의 환상들을 충족시켜 준다. 이를 해소하지 못하면 다른 형태의 욕망들이 찾아올 수 있다. 식욕, 신경증, 불면증, 일 중독…

이 많은 것들을 섹스가 해결해줄 수 있다고 믿는다. 물론 중독이라 할 만큼의 빈번한 섹스는 쾌락을 넘어 혼을 쏙 빼버리겠지만, 본능은 우리와 늘 함께하는 것이니 섹스는 삶의 균형을 맞추는데 도움을 줄 것이다. 파트너가 없다면 자위행위도 도움이 될 것 같지만, 섹스에 비하면 모자라 보인다. 물론 자위냐 섹스냐, 이것은 개인의 체력이나 정신상태, 취향에 따라 고려할 문제일 수도 있겠지만.

이별이
앗아가는 것

　서로의 벌거벗은 몸과 성기를 보고 만질 수 있는 것. 보다 편안하게 키스와 섹스를 나누는 경험. 헝클어진 모습을 보여주기에도 부끄럽지 않은 친구 같은 사람. 연인은 굳이 말하지 않아도 둘만이 공유할 수 있는 것들을 자연스럽게 알아간다. 연애는 사람의 자연스러운 본성을 보다 자유롭게 허용하면서도, 결혼처럼 제도나 법에 구속되지는 않는 묘한 경험이다.

　연애를 통해 가장 은밀하게 나누는 것들, 특히 섹스나 스킨십은 물질적인 것을 떠난 베풂과 나눔이다. 즉, 가장 가난한 때조차 연인은 몸을 통해 많은 것을 나눌 수 있다. 그것이 현실에 대한 망각이나 일시적인 쾌락일지라도 그 둘은 풍부한 순간을 겪는다. 육체적인 관계는 내가 너에게 줄 수 있는 끝자락의 것이며, 최후의 보루이기도 하다. 섹스는 순수한 증여를 가능하게 한다.

　이별을 경험할 때 빈털터리가 된 기분이 드는 것은 이 때문일지도 모르겠다. 사회나 돈을 다 떠나서 내가 줄 수 있는 최후의 것을 줄 수

없다는 사실. 가난이 가혹한 이유 중 하나가 베푸는 것에서 오는 행복감을 단절시킨다는 데 있다면, 이별이 가혹한 이유는 가난 속에서도 베풀 수 있는 최후의 섹스를 앗아간다는데도 있다. 실연을 당하면 그대로 문학적인 빈털터리가 되는 것이다.

연애하는 인간 –
귀머거리 해석형

두 사람이 만나는 일은 다른 두 개의 세계가 부딪히는 일이기도 하다. 그래서 연애를 하다 보면 예상치 못한 문제를 만나게 된다. 문제가 발생할 때, 사랑을 온통 감정의 문제로만 치부하다 보면 둘은 깜깜한 미궁 속으로 끌려간다. 감정을 사랑의 모든 상황을 지배하는 것으로 여기게 되면 상식과 언어가 개입할 틈이 사라진다. 감정을 해소해야, 솔직히 말하면 '스트레스'를 해소해야만 문제가 해결되는 것처럼 느낀다. 면밀히 보면 문제가 해결이 된 것이 아니라, 본인의 감정을 해소한 것에 불과하다.

관계의 유연함을 위해서는 이성과 감성을 긴장감 있게 조절해야한다. 이 조절은 눈에 보이지 않는 것이라서 명확한 기준이 없다. 단지 시도와 반응이 있을 뿐이다. 이성에 지나치게 힘을 실어도 문제가 발생한다. 상대의 말을 해석하고 곧잘 판단하는 것 같지만, 결코 상대의 입장에서 듣지 않는다. 이런 귀머거리 해석형 인간은 다양한 문제에 대해 재빠르게 사유하고, 규정하길 즐긴다. 연애에 있어서도 마찬가지다. 말을 들음으로써 상대에 대한 이해로 나아가는 것이 아니라, 말 자체의 일관성을 규명하고 판단한다. 연인의 말이라도 오류가 있는 경우에는 가차 없이 내려친다.

　귀머거리 해석형 인간은 위에서 아래를 내려다보고 있다고 착각한다. 연인도 예외 없이 아래에 있다. 상대가 하는 말을 빠짐없이 기억하지만, 이것이 배려로 나아가기 위한 길이 아니라 상대를 규정하는 길이 된다. 이런 사람은 상대의 실수에도 매우 엄격하다. 상대가 실수로 내뱉은 말이나 행동을 정정하려고 할 때, 심판처럼 서서 재빨리 가로막는다. 스스로를 청렴결백하고 올곧은 사람으로 여기겠지만, 상대의 입장에서 듣지 못하고 제 입맛에 따라 사람을 재단하는 아둔한 인간일 뿐이다. 이들은 연애를 밀폐된 진공관 속으로 밀어 넣고 있다.

연애하는 인간 –
어리석은 신앙형

사랑하는 타자를 하나의 세계로 받아들이고 해석하는 일. 연인은 심해처럼 깊어지고, 나의 숨통은 조이기와 트이기를 반복한다. 이처럼 연애는 기쁨과 통증을 오간다. 상대에 대한 매료가 한없이 강렬해질 때, 나의 세계는 무너지고 연인은 신이 된다. 그녀가 하는 말과 실천을 '해석 없이' 신뢰하기 시작한다. 사랑이 신앙이 된 것이다. 신앙은 삶의 희열을 준다.

그러나 이 깊은 신앙은 상대를 규정하는 힘을 가진다. 규정으로 상대를 묶는다. 여기서 탈출하는 순간, 나는 오리무중이 되거나 상대 안의 또 다른 세계를 찾아서 규정하기 위해 애쓴다. 그녀가 떠나면 나의 세계는 폐허가 된다. 어리석은 신앙만 남아있다. 한참을 앓다가 신앙을 지팡이 삼아 일어나서 다른 사람을 찾아 나선다. 신이 죽은 뒤에 신앙만 남아서 당나귀를 신으로 받들었던 사람처럼.

오줌

너는 거기서 기다리고 있었지. 사실 지하철에서부터 오줌이 마려웠어. 화장실에 들렀다 가면 될 것을, 오줌 누느라 어정쩡하게 머물 시간이 아까워 너에게 직진했었지. 우스꽝스럽지만 변기보다 너를 먼저 볼 수 있어서 좋았어. 결국에는 급하게 뛰어가서 팽팽해진 방광을 비워내야 했었는데도 말이지.

로맨틱했어. 너를 보고 싶은 마음이 내게 어떠한 간격도 주질 않고 너에게 뛰어들게 했으니까. 당당하게 말할 수 있어. 그건 엄청난 사랑이었다고. 오줌처럼 빈번한 생리현상도 식은땀 날 때까지 미룰 정도로 보고 싶었다고.

콩깍지의
윤리

사랑하는 사람은 눈에 아름다운 창을 씌운다. 이 창을 통해서 세상을 바라보면 구석구석이 사랑스러워서 온갖 사물이 휘파람을 불어 메아리치는 기분이 들 때가 있다. 이를 콩깍지라고 말하기도 한다. 우리의 밖으로 난 콩깍지는 이처럼 아름답다. 우리의 사랑이 이타적으로 모두의 사랑이 되기도 하기 때문이다.

콩깍지가 우리의 안으로 나면 불안하다. 우리의 사랑이 '우리'에게 한정된다. 둘은 너무나 사랑하는 것 같지만 실은 둘의 바깥에 경계선을 그리고 있는 것이다. 각각의 삶으로 자립하지 못하고 모든 것을 함께 해야 한다. 너만을 위해 희생하고 사랑하는 놀라운 이타심을 발휘하는 것 같지만, 다르게 보면 우리 밖의 세계에는 무관심하거나 적대적이기까지 한 이기적인 형태를 띤다. 그들은 연애의 윤리를 지키려 애쓰는 것 같지만, 온전히 도덕적인 사람이 되기는 힘들다. 그들만의 울타리에 갇혀있을 뿐이다.

이쯤 되면 사랑은 의리를 넘어서서 지친 의무가 되기도 한다. 우리를 제외한 것은 질투의 대상이 되고, 너의 친구나 나의 친구를 적으로 두는 경우도 생긴다. 그들의 연애는 잔뜩 긴장한 채 초소를 지키는 군인들을 닮았다. 그들에게 눈앞의 세상은 경계의 대상이다. 사랑은 그 자체로 정말 많은 것을 사랑스럽게 만드는데, 좁은 이타심은 내려놓고 보다 넓은 세상으로 첨벙 뛰어드는 것은 어떨까. 콩깍지를 안에서 밖으로.

연애를 하면 서로가
닮는 것은 당연하지만

　연애의 과정은 상대를 알아가는 과정이기도 하다. 서로의 취향, 관심사, 생활패턴, 심지어 때때로 불안한 내적 상황까지 공유하고 알게 된다. 이를 이해하고 배려하면 그뿐인데, 문제가 발생할 때가 있다. 상대의 삶을 나의 삶과 일치시키려는 욕망에서 이 문제가 시작된다. 상대를 나에게 일치시키려는 것이 늘 의도적인 것은 아니다. 무의식적인 욕망처럼 닮기를 당연한 것으로 여겨서 이에 대해 생각해본 적이 없을 수도 있다. 연인은 당연히 닮아야 하는 것 같으니까.

　서로가 닮아가는 것은 시간이 만들어내는 자연스러움이지 욕망으로 인한 것이 아니다. 물론 취향이나 관심사를 공유할 수 있느냐 없느냐는 연인이 친밀한 관계로 나아가는 데 중요한 문제로 작용한다. 호감 있는 상대가 어떤 책을 읽고 있다. 그 책은 나도 굉장히 좋아하는 책이다. 여기서 나는 쾌감을 느낀다. 운명적이다! 잘 통하는 사람이겠구나. 그러나 이에 매달리다 보면 권태를 맞이하게 된다. 시간이 지날수록 서로를 알게 되고, 알게 되는 만큼 습관적으로 상대를 단정 짓는 순간이 오면 발견의 쾌감도 희미해지기 때문이다.

그러다 보면 다른 사람을 또 찾겠지. 낯선 누군가가 내가 즐겨듣는 음악을 듣고 내가 좋아하는 디자인의 옷을 즐겨 입고, 호감이 생길 것이다. 너무나 순환적이다. 곧 발견의 쾌감이 희미해질 것이고 권태가 오면 또 다른 사람을 찾겠지. 이 굴레로부터 어떻게 벗어나야 하는 것일까. 여기서 움츠러든다면 안타깝게도 굴레 안으로 쏙 들어온 것이다. 어떻게 탈출해야 하지? 이 굴레는 사실 수많은 연애사의 일부일 뿐이다. 등산으로 치면 한 길로만 오가며 그 산의 풍경을 다 봤다고 착각하는 것이다. 이 모든 걸 요약해 유치한 수식으로 만들어보자면, '연애 = 관계의 공유'가 아닌, '연애 〉 관계의 공유'가 되겠다. 그리고 놓쳐버린 다른 수식이 있는데, 이는 조금 애석하다. 그것은 '권태 = 발견의 끝'이 아닌, '권태 〉 발견의 끝'일 수도 있다는 것이다.

퀴즈쇼

네가 잠든 모습을 볼 때가 가장 안락하다. 그 순간만큼은 무궁무진한 너의 가능성들을 지배하는 것 같으니까! 얼마나 은은하고 풋풋한가. 하나도 안 아름답다. 연애는 너와 내가 하나가 되는 것이라고, 내가 '아'하면 네가 '어'하고 자연스레 반응하는 것이라고 생각하는 것. 시간이 지나다 보면 당연한 것처럼 느껴지지만 관계를 질식시킬 수도 있는 말이다. 나도 나를 모르는데 하물며 너를 내가 어떻게 알까. 물론 오랜 시간 함께 지내다 보면 말하지 않아도 서로의 순간을 알아차릴 때가 자주 있다. 그 순간은 감동으로 채워야 하는 것이지 의무로 남겨놓아야 할 부분은 아니다. 소통을 퀴즈쇼처럼 하다 보면 기대에 비켜가는 서운한 감정들만 차곡차곡 쌓일 것이다.

사랑 받는다는
것

나는 나 혼자서 무엇을 할 수 있는가. 나는 나의 자리를 아는가. 사실 온전한 '나'란 누구인가에 대한 사유는 쉬운 문제가 아니다. 타인을 배제하고 사유할 수 있는 것들을 콕 집어낸다는 것이 가능할까. 친구로서의 나, 자식으로서의 나, 선생으로서의 나, 애인으로서의 나. 자신의 정체성에 대해 고민하다 보면 하루에도 수십 번씩 자리를 옮겨 다니는 방랑자만 남는 것 같아서 어지럽다.

내 삶의 주인은 누구인가. 이 글을 쓰고 있는 순간 나는 나의 주인이 되는 것 같지만, 결국 이것도 누군가에게 보여주기 위한 것이며 누군가가 읽어주길 바란다는 것을 부인할 수 없다. '바란다'는 것은 일종의 결핍 같은 것이다. 결핍된 나의 어떤 것들을 남이 채워주기를 바라는 것이다. 그러나 남이 나를 채워주는 것은 불가능한 일이다. 사실 자신을 채우는 것은 타인이 아니라, 스스로의 판단에 따른 믿음 같은 것이다.

'사랑받을 것'에 대한 믿음은 오해와 불신의 단초가 된다. 믿는다는 것은 대상이 있지만 그 대상이 타인이라는 것을 고려하면, '사랑받을 것'을 확증할 수 있는 방법은 아무것도 없다. 단지 추측이 가능할 뿐이다. 사랑받는 사람의 입장에서 '추측', '확신'같은 것은 굉장히 불안한 단어다. 그래서 연애의 관계에서는 '받는 것'에서 '주는 것'으로 방향을 선회하는 것이 낫다. 적어도 내가 줄 수 있는 것들에 대해서는 보다 선명하게 생각할 수 있기 때문이다. 사랑받음에 대한 고민은 밑 빠진 독에 물 붓는 형상으로, 갈증을 더 메마른 갈증으로 만드는 일이다. 이 고민에 침몰되면 둘의 관계에서 자신은 결국 별것 해보지도 못하고 헛헛한 고독만 남기는 못난 사람이 될 것이다.

사랑을
믿다

　사랑을 믿은 적이 있다. 믿은 적이 있을 뿐이다. 사람을 믿을 수
는 있지만, 사랑을 믿는다고 하면 얼얼하게 허무한 감동이 남는다. 감
동이 따르는 것은 사랑이라는 단어의 막연하고 희미한 분위기 때문
일 것이다. 사랑을 믿을 수 없다. 너를 사랑하는 나와 나를 사랑하는
너. 그나마 믿을 수 있는 것은 너에 대한 나의 사랑인데, 이처럼 조각
난 사랑, 사랑이 아닌 조각난 그 무엇을 믿는 것은 고통스러운 일이
다. 욕망은 결핍을 채울 수 없는 상황에서 정열적인 고통을 생산하기
때문이다.

　그러다 보면 아무것이나 붙들고 믿고 싶어진다. 어떻게든 간절하
게 발버둥치다 보면 우주의 법칙에 작은 균열이 생겨서 조각난 사랑
을 되찾을 수 있을 것 같다. 믿음이 이루어질 때는 그 믿음이 한없이
숭고하지만, 이루어지지 않을 때는 마음에 까칠한 지푸라기 한 잎만
남는다. 그렇다면 이 지푸라기 한 잎으로 우리가 할 수 있는 일은 무
엇일까. 그것은 믿음을 한없이 뒤로 연장하는 일이거나 사랑을 믿는
일을 포기하고 사람을 믿어보는 일이다. 이 믿음은 그 사람이 변하지

않을 것이라는 믿음이 아니다. 변화조차도 받아들일 준비이자, 사랑의 허무에 대한 인정이다.

상처 없는
사랑이 있을까

　여러 번의 연애를 경험하는 것은 겹겹이 상처를 쌓아올리는 일이다. 상처는 나를 배려있는 사람으로 한층 성장시킨다. 상처는 고통스럽지만, 한편으로 소중한 것이다. 상처를 나의 것으로 받아들이지 못하면, 상대에 대한 원망이 남는다. 원망은 나의 상태를 보지 못하게 한다. 두 사람의 얽히고설킨 심층적인 연애사에서, 어느 한 쪽만 원망의 대상이 될 수 있을까.

　상대에 대한 원망을 차분하게 바라보면 나를 볼 수 있다. 배려는 상대에게서 나를 보는 것이다. 상대에 대한 이해가 나에 대한 이해로 나아간다. 상대를 통해 나의 단점과 과거를 보게 될 때, 배려는 성장이며 생산적인 일이 된다. 무수한 상처를 자신의 것으로 받아들일 줄 아는 사람과 있으면 마음이 편하다. 그는 그만큼 여유가 있기 때문이다. 상처는 마음에 흠집을 내는 일 같지만, 사실 마음의 면적을 넓히는 일에 더 가깝다.

　상처 없는 사랑이 있을까. 사랑에 상처가 없다면, 그것은 자위나

무성생식이라고 하는 게 낫겠다. 그래서 연애의 지독함을 경험해본 이가 누군가를 다시 깊이 좋아하는 일은, 무척 어렵고 용기 있는 일이다. 상처받을 줄 알면서도 상대에게 나를 던지기 때문이다. 상대를 유심히 보면 성격, 장단점들을 어느 정도 파악할 수 있다. 우리의 연애가 가질 위험성도 예측불가능한 일은 아니다. 그럼에도 사랑하는 것은 상처로 난 길이 기꺼이 받아들일 만하며, 그 이상의 충만한 감정들을 채울 수 있기 때문이다.

거짓말

    사랑하는 사람에게는 왜 어떠한 사실도 숨기지 못하는가. 사랑이 상대에 대한 익숙한 앎으로 나아간다고 할 때, 상황에 따라 서로의 상처를 막기 위한 선의의 거짓말이 필요하다. 서로에 대한 익숙한 앎으로 인해 상대가 얼마나 상처받을지 짐작할 수 있으며, 상대의 상처는 곧 나의 아픔이 된다. 그럼에도 사랑은 왜 자신에 대한 완벽한 폭로전이 되는가.

    사랑에 빠진 사람은 관계의 틀 안에서 판단력이 죽어버리기 때문이다. 혹은 일부러 판단력을 죽이기도 한다. 그래서 판단 없이 자신을 던져버리기도 하며, 상대의 정신까지 죽여 버리는 수많은 일들이 일어난다. 감정에 대한 폭로전, 사실에 대한 폭로전. 이것은 서로의 정신적 급소를 찾는 과정이 되며, 질퍽한 통증을 만들어내기도 한다.

    연애의 과정은 서로가 만신창이가 되어가면서도 서로를 잘 알게 되는 과정이며, 이 모든 것들을 관계의 책임으로 끌어올리게 된다. 이 책임은 믿음이라고도 할 수 있다. 믿을 수 있는 것을 믿는 것은 믿음이 아니라 인식이다. 믿을 수 없는 것을 믿는 것이 믿음이다. 이 믿을 수 없는 것은 거짓을 넘어선 상대의 이해할 수 없는 말이나 행동까지 뜻한다. 의도적이든 아니든 사랑하는 사람에게는 어떠한 것도 숨겨지지 않으니, 이해할 수 없는 상황이 발생하는 것은 당연하다. 순환적인 논리가 되겠지만, 사랑하니 어떤 것도 숨겨지지 않고, 어떤 것도 숨길 수 없으니 사랑한다. 사랑은 즐거우면서도 고통스러운 정신병이다. 사랑이 논리적으로 풀어질 이야기가 아닌 것은 모두가 잘 알 테니.

직장인의 연애는
조기퇴근

종로 3가에 남자가 잔뜩 취해서 여자한테 안겨있었다. 밤 열한 시를 넘어가는 시간이었다. 남자는 키스를 시도하고 여자는 사람이 많다며 타이른다. 결국 그는 그녀에게 안겨 모텔로 가자고 조른다. 남자를 바라보는 여자의 눈이 참 안쓰럽다. 이렇게 취해서는 잘 서지도 않을 텐데. 아니, 내일 출근해야지. 출근하려면 이제 집에 들어가서 자야지. 이제 그들은 연애에서 퇴근해야 한다.

직장인의 연애는 늦은 출근, 조기퇴근이다. 그나마도 사랑의 시간은 지루한 직장에서의 시간과 달리 활활 타버린다. 사랑은 피로함이라는 생리적 현상을 이겨내는 위대한 힘을 가졌다고 하지만, 주당 최대근로 시간은 68시간. 5일 동안 일을 한다고 하면 하루에 13시간 이상이다. 공무원이나 주말 출근이 있다면 이야기가 조금 달라지겠지만, 어쨌든 무척 많은 시간을 일에 투자한다. 생리적 현상을 이겨내는 사랑의 위대함을 체험해보기에는 참 힘겹다. 연인의 얼굴에서 자주 보게 되는 것은 그 자체의 생생함보다는 다크서클과 피로와 짜증에 겹친 주름, 혹은 그것을 가리는 화장과 힘겨운 웃음이다. 사랑은 보는 것만으로도 뜨거운 감정을 불러일으키지만, 이에 엮인 상황들이 다소 안타깝다.

아, 술 취한 종로의 연인들이 마음 편히 모텔로 갈 수 있다면! 마구마구 사랑할 수 있다면!

첫사랑은
죽음이다

첫사랑은 죽음과의 조우를 예고한다. 생물학적 죽음은 삶과 공존하지 않지만, 삶과 공존하는 또 다른 죽음이 있다. 정신적 죽음이다. 첫사랑은 이에 좋은 예시가 된다. 첫사랑이라는 단어 자체가 실연을 내포할 수 있다. 두 번째, 세 번째, 그 이후의 사랑을 전제한 '첫'사랑일 경우에 그렇다. 상대가 이별을 통보하면 정신적 죽음이 시작된다. 나의 정신이 피살되는 끔찍한 경험이다. 그러나 몸은 살아있다. 진단이 어려운 묘한 고통이 온다.

사랑은 성적, 정신적 욕망이 난해하게 결합되어있다. 욕망은 결핍을 전제로 한다. 욕망의 충족은 타자를 필요로 한다. 연인과의 사랑, 정신적, 성적 결합은 이를 충족시켜준다. 문제는 여기서 발생한다. 사랑하는 사람과 하나가 되어 내 몸처럼 느꼈을 때 간극이 시작된다. 상대와 하나가 되고 싶지만, 때로는 하나가 된 것 같지만, 연인은 타자로 고스란히 남아있다. 결합 불가능한 결합이다. 하나가 되었다는 것은 착각이다. 그래서 연애를 하는 중에도 상실감이 순간순간 찾아온다. 이 기묘한 상실감은 섹스 후 헤어지고 나면 종종 명확해진다.

첫사랑과 함께했던 공간들은 결핍의 공간이자 죽은 공간이 된다. 두 번째 사랑과 그 공간에 머물면 묘한 불일치감이 느껴진다. 두 번째는 첫 번째보다 좀 더 나으려고 하지만, 여전히 첫사랑의 결핍에 기반하고 있다. 과거를 잊은 것처럼 즐거운 시간을 만들고 있지만, 무의식은 무궁무진한 기억의 저장소다. 어떤 것도 잊을 수 없다. 추억과 상처의 상당수가 자신을 속여서 만든 이름표일 뿐, 나아진 것 없이 제자리걸음하고 있는 건 아닐까.

사귀자와
헤어지자

'우리 사귀자'라는 말은 암호다. 치명적으로 어려운 말이다. '사귀자'는 설렘과 함께 연인 관계의 시작을 선언하지만, '우리'라는 관계는 암호를 생산하기 때문이다. '우리'인 너와 나는 각자 다르게 받아들인 '사귀자'의 의미를 암호처럼 풀어야 한다. 이제부터 밤늦게까지 술을 마시면 안 되고, 다른 이성과 단둘이 만나서는 안 되고, 주기적으로 연락을 해야 하고… 시작하는 연인은 탐정이 되어간다. 시간이 지나면서 즐거울지 난해할지는…

'우리 헤어지자'는 말이 암호가 되면 고통이다. 사귀자의 해독은 양측의 감정을 풋풋하게 발산시키지만, 헤어지자의 해독은 한 쪽의 감정을 이미 거둔 채로 시작되기 때문이다. 해독이 이루어지는 동안 미련이 남아있다면, 감정은 자신의 내면으로 침잠되어 분노나 슬픔이 된다. 단서 하나하나가 '우리'에게 더 이상 어떤 의미가 되지 않고, 잠을 못 자거나 무기력하여 밥을 먹지 못하는 증상이 가중된다. 우리 헤어지자는 말은 실질적으로 '우리'가 빠진 참 건조하고 쓸쓸한 말이다.

스킨십

생각해보면 사랑한다는 말이 필요 없을 때가 참 달콤하더라.

서로를 만지면 자연스레 침묵이 오고, 서로에게 궁금했던 많은 것들이 충분히 확인된다.

좋으면 오랜 시간 같이 있고 싶은 거지.

그래서 갑작스러운, 스킨십이나 섹스의 거부는 불안하면서도 확실한 것을 시사한다. 두려운 순간이다!

사랑이란 무엇입니까 –
사랑은 덧셈입니다

우리의 인식체계는 대체로 뺄셈의 과정과 닮아있습니다. 당신에게 설탕이 무엇인지 물어본다면 대체로 '달다', '희다', '조미료다' 정도의 방식으로 설명할 것입니다. 이 질문에 대해 '설탕은 이당류로써 단당류인 포도당의 글리코시드결합이다'라고 즉각적으로 대답하는 사람은 찾기가 어렵지요.

그렇다면 설탕을 대표하는 인식은 '달다'라고도 할 수 있겠죠. 소금이라면 '짜다' 정도가 되겠지요. 우리는 인식의 과정에서 '달다'와 같이 대표적인 속성 외의 무관심한 속성은 뺄셈하여 보류하려고 합니다. 대표적인 속성을 인식의 지표로 삼으며 사물이나 현상에 대해, 개념 혹은 체계를 부여하며 혼란을 정리하고 세계를 완성하는 것이죠.

사랑이 어려운 이유는 우리가 뺄셈의 인식에 익숙해져 있기 때문입니다. 상대가 보여주는 행위를 판단하여 '당신은 ~한 사람'이라는 개념을 부여합니다. 설탕은 달다는 것 이외에 수많은 속성을 가지고 있고, 쉬지 않고 공기와 접촉하면서 처음과는 다른 물질로 변화해갑니다. 이처럼 사람도 당신이 판단한 '~한 사람' 이외의 잠재적인 면과 변화하는 속성을 가지고 있습니다. 사랑에 빠진 사람은 끊임없이 타자라는 벽, 주변 환경과 부딪히며 새로운 사람으로 변화하는 것이죠.

그럼에도 불구하고 상대와 함께한 오랜 시간과 익숙함은 상대를 자신의 잣대로 정의하는 과정으로 나아가게 됩니다. '나를 사랑한다면 그럴 수 없어', '나를 사랑한다면 이렇게 해야 해.' 이런 경우에는 비극적이게도 나를 가장 잘 안다고 생각했던 연인이, 타자로서의 배려를 잃은 심판관이 됩니다.

사랑은 덧셈의 과정입니다. 연인 간의 오해와 다툼은 많은 부분 상대의 잠재성과 변화를 인정할 줄 모르는 태도에서 옵니다. 반면 화해는 상대의 잠재성과 변화를 인정하는 것으로부터 오는 것이죠. 상대와 진정으로 가까워지는 방법은 상대를 고정된 개념으로 바라보지 않고 새로운 속성들을 인정하는 것입니다.

우리에게 익숙한 인식체계와 사랑의 인식체계는 충돌하는 것이 당연합니다. 뺄셈과 덧셈이라는 정반대의 인식이 부딪히는 것이니까요. 따라서 사랑은 어렵습니다. 그러나 사랑이 어렵다고 해서 뺄셈의 인식으로 단순하게 대한다면 사랑은 없는 것이나 마찬가지입니다. 그건 당신만이 가진 환상이거나 일방통행일 뿐이지 타자에게 해당되는 사랑이 아닙니다. 연인과의 관계는 상대의 무한한 잠재성과 지속되는 변화를 받아들일 줄 아는 덧셈의 과정이라는 것을 인정해야 합니다.

사랑은 혼란스럽습니다. 사랑의 현상은 당신이 뺄셈을 통해 익숙하게 정리했던 세계를 무너뜨립니다. 그렇다고 해서 급한 마음에 혼란을 정리하려고 하면 당신은 사랑을 잃고 집착을 얻을 것입니다. 연인은 당신이 세운 사랑의 정의로부터 끊임없이 달아날 것이니까요. 연인과 당신은 관계에서 무엇을 '뺄지'보다 먼저 무엇을 '더해야 할지'를 고민할 필요가 있습니다. 그리고 사랑 앞에서 당신은 비장해야 합니다. 누군가에게 사랑은 낯선 세계로 다가와 익숙한 삶을 통째로 흔들고 황폐화시킨 주범이 될 수도 있으니까요.

<에필로그>

사랑을 쓰는 것은

    사랑에 관한 여러 글들을 한데 모아두면 사랑은 A이며, B가 되었다가, C로 빠져나가기도 하니 종잡을 수 없습니다. 사랑의 행방은 그만큼 묘연한 것이지요. 어쩌면 한 가지로 정의할 수 없는 사랑의 수많은 찰나를 훑는 것뿐일지도 모릅니다. 우리의 사랑도, 삶도 한 가지로 정의할 수 없으니까요.

    자신이 온전해야만 온전한 관계의 사랑을 꿈꿀 수 있다는 것, 기대 없이 사랑하는 것, 받기 위한 사랑은 집착을 위한 집착이나 교환가치로 변질될 것이라는 것. 증오나 미움도 사랑의 일부라는 것. 의리나 습관이 때로는 애정보다 중요하다는 것. 실연의 아픔이나 권태는 결국 시간이 극복해주리라는 것.

    당신이 이것을 모르기 때문에 사랑을 읽고 있는 것일까요. 그렇지 않습니다. 경험적이든 학습에 의해서든 대부분의 내용은 이미 아는 것이겠지요. 그러나 앎과 의식함은 차이가 있습니다. 분명히 알면서도 의식하지 못하는 것이 있으며, 때로는 의식하지 않으려 합니다. 그것이 정신을 고통스럽게 하며, 어떤 때에는 크게 고양시키기도 합니다. 저는 사랑을 쓰고 있지만, 사랑에 관해 무지합니다. 다만 글쓰기를 통해 사랑을 의식하는 시간을 갖는 것이지요.

　또한 과거를 통해 현재를 의식할 수 있습니다. 과거의 사랑을 회상하는 일은 그리움이나 아련함, 혹은 분노나 뉘우침 등을 동반하겠지요. 기억나지 않는 일들도 있을 것입니다. 이 모든 것은 현재의 사랑과 자신의 모습을 의식케 합니다. 그래서 종종 우리가 처음 만났던 때를 회상해봅니다. 잠자던 감정들이 생생히 깨어나기도 하니까요.